吳靜吉博士策劃

大眾心理學叢書

404

每冊都解決一個或幾個你面臨的問題
每冊都包含可以面對問題的根本知識

大眾心理學叢書 404
洪蘭作品集 4

理應外合：講理就好 4
——讓孩子在開放尊重的生活文化中學習

作　　者——洪蘭博士
策　　劃——吳靜吉博士
主　　編——林淑慎
責任編輯——廖怡茜
特約編輯——楊　菁
發 行 人——王榮文
出版發行——遠流出版事業股份有限公司
臺北市 100 南昌路二段 81 號 6 樓
郵撥／0189456-1
電話／2392-6899　　傳真／2392-6658
法律顧問——董安丹律師
著作權顧問——蕭雄淋律師
2005 年 8 月 16 日　初版一刷
2013 年 2 月 16 日　二版十一刷
行政院新聞局局版臺業字第 1295 號

售價新台幣 250 元（缺頁或破損的書，請寄回更換）

ISBN-10 957-32-5887-0
ISBN-13 978-957-32-5887-2
遠流博識網
http://www.ylib.com　E-mail: ylib@ylib.com

洪蘭作品集4

講理就好4

理應外合

洪蘭博士◎著

《大眾心理學叢書》

出版緣起

王榮文

一九八四年，在當時一般讀者眼中，心理學還不是一個日常生活的閱讀類型，它還只是學院門牆內一個神秘的學科，就在歐威爾立下預言的一九八四年，我們大膽推出《大眾心理學全集》的系列叢書，企圖雄大地編輯各種心理學普及讀物，迄今已出版達二百種。

《大眾心理學全集》的出版，立刻就在台灣、香港得到旋風式的歡迎，翌年，論者更以「大眾心理學現象」為名，對這個社會反應多所論列。這個閱讀現象，一方面使遠流出版公司後來與大眾心理學有著密不可分的聯結印象，一方面也解釋了台灣社會在群體生活日趨複雜的背景下，人們如何透過心理學知識掌握發展的自我改良動機。

但十年過去，時代變了，出版任務也變了。儘管心理學的閱讀需求持續不衰，我們仍要虛心探問：今日中文世界讀者所要的心理學書籍，有沒有另一層次的發展？

在我們的想法裡，「大眾心理學」一詞其實包含了兩個內容：一是「心理學」，指出叢書的範圍，但我們採取了更寬廣的解釋，不僅包括西方學術主流的各種心理科學，也包括規範性的東方心性之學。二是「大眾」，我們用它來描述這個叢書的「閱讀介面」，大眾，是一種語調，也是一種承諾（一種想為「共通讀者」服務的承諾）。

經過十年和二百種書，我們發現這兩個概念經得起考驗，甚至看來加倍清晰。但叢書要打交道的讀者組成變了，叢書內容取擇的理念也變了。

從讀者面來說，如今我們面對的讀者更加廣大、也更加精細（sophisticated）；這個叢書同時要了解高度都市化的香港、日趨多元的台灣，以及面臨巨大社會衝擊的中國沿海城市，顯然編輯工作是需要梳理更多更細微的層次，以滿足不同的社會情境。

從內容面來說，過去《大眾心理學全集》強調建立「自助諮詢系統」，並揭櫫「每冊都解決一個或幾個你面臨的問題」。如今「實用」這個概念必須有新的態度，一切知識終極都是實用的，而一切實用的卻都是有限的。這個叢書將在未來，使「實用的」能夠與時俱進（update），卻要容納更多「知識的」，使讀者可以在自身得到解決問題的力量。新的承諾因而改寫為「每冊都包含你可以面對一切問題的根本知識」。

在自助諮詢系統的建立，在編輯組織與學界連繫，我們更將求深、求廣，不改初衷。

這些想法，不一定明顯地表現在「新叢書」的外在，但它是編輯人與出版人的內在更新，叢書的精神也因而有了階段性的反省與更新，從更長的時間裡，請看我們的努力。

理應外合

講理就好4

【目錄】

第2篇 多元學習，找自己的路

第3篇　知識學習，科學講道理

第4篇 以書為鏡，學習無止境

〈殷序〉一個人也可以改變世界

殷允芃

這是一本讓人想要一口氣看完的書。

在炎炎夏日，起了個大早，輕鬆愉快的看完這本書，而且使人覺得日子很豐富。

《理應外合——讓孩子在開放尊重的生活文化中學習》，是洪蘭教授最近幾年在報章雜誌專欄文章的集結，也是她對目前台灣教育現象的觀察、思考與建議。

與一般學者僅停留在理論層次思考不同，洪蘭常常衝上第一線，有許多寶貴的現場體會，及與兒童、老師、家長的互動經驗。

令人記憶深刻的一幕，是幾年前天下研究要做「閱讀」教育專刊，在陽明大學接受訪談完後，她提著厚厚的一袋童書，要趕搭公路局的車，到桃園（或新竹）的偏遠小學，去推廣閱讀。急切的語調、急速的步伐、活力充沛的小小身影，彷彿一直在提醒：「時間來不及了。」

的確，許多人都有同感，這社會病了，出了嚴重的問題；媒體誇大扭曲，加速負面循環。許多人都將希望放在教育，放在下一代身上，而且時間似乎已來不及了。

不像許多人僅停留在無力感的抱怨與呻吟，或逃脫移民，有一群人，站了起來，跳到第一線，以實際的參與，幫忙火線上的老師與校長，希望能為孩子提供更好的教育。

其中最令人感動的例子就是洪蘭。幾乎像是一人傳教士，她跑遍山麓海濱，到一千所中小學去演講，平均每年約五百場以上，鼓勵大家多看、多讀、多思。

除了推廣閱讀對孩子成長的重要外，本業是研究神經科學的洪教授，也將最新的腦與學習的種種科學新知，帶到第一線，讓台灣的教育工作者，可以和國際最新的教育發展聯結。

在學術研究與各地奔波演講外，洪蘭更運用了她聯結與整合的超級能力，將這些所見、所思、所學，轉化成一篇篇輕鬆易讀的短文，在各大報章雜誌發表，向更多的家長及讀者溝通，擴散。

她的文章深受許多讀者歡迎，因為在這個價值混淆、一切追逐流行的時代，她是少數敢堅持理念，堅持傳統文化與價值之必要的作家。

譬如，她認為國文程度差是隱憂。因為文字認同是民族團結的要素，也是保存和傳遞先人智慧的憑藉：

有人或許會說，現在是地球村、國際化的時代，學中文不如去學英文，我認為這個觀念是不對的。第二語言的學習是建立在第一語言的架構上，而且我國有這麼豐富的文化遺產，國文不好，不能欣賞古人智慧的結晶，實在太可惜。

她更直言品德教育的重要，否則「天下無可用之士，無可用之兵」，國家又哪有前途？

她一再訴說，教育不只是知識的灌輸，更重要的是生活教育。學習不是被動的填鴨，而是主動的探索。學校要從死的知識傳授，轉到思想的開發、動機的誘引和紀律的培養。

除了學校之外，家庭教育更重要。從日常生活中學習待人接物的方法，忍受挫折的能力，培養出正直、誠懇的人格，及對自己的信心，自重與自愛。

這本書，諄諄善誘，希望老師和家長，要給孩子們足夠的空間，讓他們自主學習。也希望孩子們藉多元學習，找到適合自己的路。

與其抱怨當今教育的種種不良現象與缺失，不如起而行，動手去改善。

一個人，也可以改變世界。洪蘭是這條路上的先行者。眾多的老師與家長，及媒體工作者，也可以加入這教育向前行的行列。時間真的快來不及了。

（本文作者為天下雜誌群董事長兼總編集長）

〈吳序〉一本充滿愛心的書

吳鐵雄

台灣向稱美麗寶島，台灣的美不只是自然風光的美，也不只指她長期經濟發展所帶來的繁榮。對很多人而言，更重要的是：台灣美在她人民的質樸與勤勞；台灣美在她社會的和諧與安祥。但曾幾何時，近年來由於社會的快速變遷，原有的社會價值體系慢慢崩解，人與人之間的競爭越來越激烈，人們也就變得越來越追求速成與近利。感覺上台灣不再像以前那麼美、那麼可愛。

這一切有人把它歸之教育的失敗，教育當然難辭其咎。身為教育工作者，個人也深感目前的學校教育、家庭教育，與社會教育都有一些問題值得關心。最近所發生的幾件事情，就讓很多人難以認同，也對社會大眾產生若干影響。一位藝人的死，他個人私生活的一些糾葛，竟然在電視與報紙上大篇幅的報導近一個月；一位藝人的未婚懷孕，也在電視上大肆渲染。這些事件的大幅報導難免被認為扭曲社會價值。媒體的太過功利取向、譁眾取寵，而忽略了它對社會大眾，尤其是青少年朋友的負面影響，也受到一些批評。因此，很多家庭把電視機關掉，甚至把它移出客廳，以免小孩子受到不良的影響。

當我還在念初中的時候，有一次母親帶我們幾個小孩到嘉義，就在嘉義客運公司等車時，親眼目睹的一件事情，讓我終生難忘。原本大家都很有秩序的在排隊等車，但是，當車子進站到登車口時，排在後面的一位婦人推著她大約念小學三、四年級的女兒說：「趕快擠上去佔位子。」那個小女生怯怯地對她媽媽說：「我們老師說，坐車要排隊。」心裡正想這個小女生很不錯，不但記住老師平時的教導，而且還能身體力行。沒想到她媽媽很生氣的一巴掌打在小女生的臉頰上，吆喝的說：「死丫頭，叫你上去就上去，還說什麼？」結果，就看著那位可憐的小女生流著眼淚從人縫中擠上車去佔位子。當時我心裡就在想，老師平時循循善誘的教導，都在那位母親一巴掌下化為烏有。而那個小女生可能盼望很久難得搭汽車的興奮心情（民國四十幾年，鄉下小孩子能搭汽車是一件很高興的事），也可能因此而蒙上難忘的陰影。父母的一言一行、一舉一動豈可不小心？

認識洪蘭教授只有短短五年，剛開始只知道她的學術成就很受肯定，尤其她在腦神經科學方面的研究頗受推崇。但是慢慢地對她有進一步的了解之後，更為她對事的認真與專注所折服。人家說：「認真的女人最美。」洪教授不只美在她對學術研究與教學的認真，更美在她對社會、對教育、對人群拼了命的關心與投入。幾年前為了配合她的夫婿，教育部前部長曾志朗教授推動閱讀工作，她不辭辛勞上山下海，深入窮鄉僻壤去演講，告訴老師、家長、與社區人士閱讀的重要性，並且把她所了解的腦神經科學知識用淺近易懂的方式告訴聽眾。更難得的是在她繁忙的教學研究生活中，又盡可能的撥出時間從事翻譯與寫作，把她認為好的外文書籍譯成中文介紹給廣大的讀者，並且把她對事情的想法寫成短文，推動親職教育工作，苦口婆心的告訴家長如何教育小孩，給小孩一個可以發揮自我的機會，可以培養自信與創新的空間。

這本書就是洪教授將她所撰寫的一些短文彙集起來的。全書共分四部分，分別是「自主學習，師長不缺席」、「多元學習，找自己的路」、「知識學習、科學講道理」、與「以書為鏡，學習無止境」。第一部分主要是告訴父母與老師，平時應該給自己的小孩或學生自由發展的空間，尊重他們無限發展的可能，不要處處設限，不要時時「好心」的替孩子作安排，只要給他們機會，給予適當的引導就好。第二部分她用一些實際的例子說明自信的無限力量與想像力的無限疆界，只要多鼓勵孩子閱讀，給他們一個愉快的環境，他們自然可以自得其所，發展他們的潛能。第三部分洪教授發揮她的專長，用一些腦神經科學的研究結果來說明人類智力與技能的發展，以及人類情緒發展的腦生理基礎，在這部分我們很清楚地體會到洪教授對弱勢族群的關懷與愛心，看了很令人感動。第四部分則是她過去多年為一些翻譯書所寫的序文、推薦文、或導讀，文中處處可看到她教育家的胸懷，對人們一些似是而非觀念的憂心，令我非常折服。

為寫這篇序文，我得有機會先拜讀全書，感到滿心的愉悅與佩服，書中有一篇標題為「生命會自己找到出路」，是最令我印象深刻的。父母常常會以「不要輸在起跑點」為由，合理化他們替小孩所做的一些作為，但是也請他們不要忘了可能造成孩子「累死在起跑點」適得其反的後果。只要培養孩子的信心、給他們自由的空間、適時給予引導，生命自然會找到自己的出路，天空自然會無比的燦爛。

（本文作者為嘉南藥理科技大學講座教授，前教育部常務次長）

〈自序〉堅持做對的事

報載一個孩子基本學力測驗考了二八三分，因為不夠進建中，所以考第二次，一定要進建中。看了這則新聞令人感嘆，只要再過幾年，當這位同學進了大學之後，他就會了解明星高中純粹是個虛榮，不值得自己浪費大好時光和精力再去苦讀國中課本那些有限的資訊。穿著明星高中的制服走在路上或許自己覺得比較神氣，但是那是短暫的，三年一過，必須脫下這個制服時，別人在意的還是三年中所學到的東西。

教改不成功，因為我們一直在改制度，忘記任何制度都是人在做，改正人的觀念最重要。人的觀念正確，制度不好，總有可以變通的方法；人的觀念僵化，再好的制度也行不通。很不幸的是，改制度容易，立法院三讀通過就改了，改觀念卻很困難，一般來說，得要經過一個世代。非得等到社會上像嚴長壽、郭台銘、王永慶之類的人越來越多了以後，父母親才會感到成功不在那張文憑，尤其嚴長壽先生我個人非常敬佩，他的正直、救世濟人、愛國愛民之心是許多明星學校出來的博士所沒有的。

目前台灣的社會風氣腐敗，詐欺、家暴、搶劫、勒索無所不在，每個人可以說生活在恐懼之中。歸根究柢，它的問題出在教育，尤其出在家庭教育：台灣現在收入兩極化，貧者越貧，富者越富，貧者父母努力打工維持溫飽，富者父母也努力賺錢以求更富。貧者的孩子顧不到，只能天生天養；富者則將孩子送到國外去做小留學生；落在中間者則更加努力加班，以期晉身富人階級，孩子只好交給菲傭和安親班。家庭是教育的起始點，然而當父母只忙於賺錢，誰能提供孩子溫暖與支持呢？

社會的笑貧不笑娼風氣，驅使人們以金錢去衡量所有東西的價值，連教育這種事都在計算成本。報載財政部宣布如果每班多一名流浪教師，一年要增加四十億開支，卻忘記一個心智的啟發是不可以用金錢來衡量的，況且，預防勝於治療，美國已計算出一個中輟生的社會成本是一百三十萬美金，最近落網的張錫銘便是個中輟生，父親板模工人，母親拾荒，父母忙於生計，無暇照顧他，學校放棄他，他就墮落了，從這次「獵龍專案」看來，捕他歸案的成本不小，這些錢為何不用在教育上，而用在圍捕上呢？

導正社會風氣及父母觀念需要有長期抗戰的決心，必須不停的提醒家長孩子是他一生最重要的投資，生活夠溫飽就要回家去陪孩子，以確定他成長為棟梁，更要不停的呼籲家長追求物質享受帶來的是空虛，只有精神的滿足才會帶來持久的快樂。尤其重要的是，每個孩子不同，不要拿自己的孩子跟別人比，人生是場馬拉松賽，不是百米衝刺，馬拉松看的是耐力與毅力，因此父母親要培養孩子的是受挫的耐力和鍥而不捨的毅力。父母需要在童年把孩子的人格打下根基，人格定型後改變就很困難。

至於老師部分，因為教育是為學生出社會作準備，所以老師要教給孩子正確的思考方式和寬廣的背景知識，使他手上有鷹架可以往上搭、學習新的知識與技術。過去那種師徒制已被高科技所淘汰了，我們不能墨守成規，「以不變應萬變」是一句非常錯誤的話，它只會使自己被世界潮流所淘汰，老師也必須不斷進修，才能將新知識帶給學生。但是，如果一個知識還未發明，老師怎麼教？就像我唸書時並沒有電腦，所以北一女和台大雖然很好，老師無法教我們不存在的東西；然而老師可以教的是學習的方法，有了學習的方法，永遠可以去學新的東西。電腦出來了，我們就去學電腦；核磁共振（MRI）出來了，我們就去學核磁共振。我們心中不會膽怯，不會恐懼新科技，因為我們有尚方寶劍——學習的方法，隨便什麼新知識，我們可以兵來將擋、水來土掩，把它學會就能在新的時代中存活下來。因此，我們看到教育是國家的根本，它也是改正社會風氣的根本。

教育最重要的是教觀念而不是教知識，也因為如此，我全力投入在新觀念的傳播上，與其坐在家中嘆息，不如起而行之，盡自己的力量，有播種總有收穫。中國名書法家燕方畏先生有一幅行草寫得非常好：「行善如春園之草，雖不見其長，卻日有所增；行惡如磨刀之石，雖不見其消，卻日有所損。」只要是對的事，一直做下去，總有成績出來，當觀念正確的人多了時，聚沙成塔，積腋成裘，它會形成一股力量，這個風氣就會被改正過來。但是觀念的改變是非常困難的事，必須從科學的方法著手，拿出證據，以理服人，而且需要非常耐心的一點一點將原有不正確的迷思趕出去，因此，寫專欄可說是最好的方式，定期傳播科學的觀念，以期滴水穿岩。這本書就是我在《中國時報》、《國語日報》、《民生報》以及《聯合報》等報刊所寫的專欄，現在將它集結成冊，希望能對台灣的教育有一點影響力。

每個人一天的時間都是廿四小時，我若想寫文章，自然無暇去做家事，我很感謝我先生，我家就住在菜場的對面，他每天看著別人進進出出買菜，卻不曾要求我也挽著菜籃去替他煮三菜一湯。我也感謝許多好朋友的慷慨，他們家中若有好吃的，都會分給我，所以我不包粽子，但是吃得到正宗的湖州粽；我不下廚，但是吃得到正宗掛爐烤鴨。當我很不好意思時，她們告訴我：「每個人做她擅長的事，妳看書快，妳去寫文章；我手腳快，我來做飯菜。我們一起做志工，改變這個社會。」這本書雖是我寫的，但是背後的功臣是所有志同道合的朋友，大家都看到國家向下沈淪的危機，既然不願乘桴浮於海，就一起來改變觀念、導正風氣，從下一代做起，這是台灣唯一的希望。

我們一定要給孩子一個快樂、健康、安全的環境，這是我們把孩子帶到這個世界上來所應負最起碼的責任，只有子代比親代好時，國家才有希望。

第 *1* 篇

自主學習，師長不缺席

1 陪孩子一起成長

孩子來信，告訴我他學分已修滿，可以早一學期畢業以減輕我的負擔。看到兒子的貼心，心中很高興，也很驚訝時光的飛逝，豈「如白駒之過隙」而已，才一眨眼，這個當年讓我每天憂心的孩子已經成年了。

養育孩子的辛苦非個中人無以知曉，我記得有一天孩子下課回家，鼻青臉腫，制服的釦子都被扯掉了，我問他為什麼，他說隔壁班有個高個子的學生站在廁所門口不讓他上廁所，要他從胯下爬過去，他說：「媽媽，你不是說韓信也是這樣，可是他後來做了大將軍嗎?我本來想爬就爬，可是地太髒，我怕把衣服弄髒了，你就得用手洗，不能丟到洗衣機裡，我想你沒有這個時間。他看我不肯爬就開始動手打我，我想還不還手都是被他打，但是還手是痛一時，不還手，我會痛一世，所以就跟他打起來了。」

好個「還手，痛一時；不還手，痛一世」。人一定要做自己認為對的事，才不會被自己看不起，如果該還手而不還手，以後會一輩子後悔，覺得自己太窩囊，所以寧可現在痛一時，也不要被自己看不起，窩囊一世。很奇怪的是，從此校園中沒有人再欺負我兒子，有的人欽佩他的勇氣，有的人認為他連最大的都敢打，自己就不必惹麻煩了，結果他反而相安無事到小學畢業。

另一件事是他還在美國念小學時，我們住在同一條街的媽媽們組成「共載」（carpool），輪流接送孩子參加課後的活動。有一天輪到我開車，兒子的好友吉米在車上突然說：「週末我媽要給我開生日派對，只准我請六個人，艾倫說你是中國人，叫我不要請你。」艾倫是他姐姐，不喜歡有色人種。我從後視鏡觀看我兒子的反應，只見他眼中泛著淚水，卻很堅決的說：「我生日也不請你。」孩子還小，有關種族之事尚不能領會，所以我想最好的方式是也舉辦一個派對，讓他也有同學玩，於是我挪出時間邀請他同學的媽媽帶著孩子一起來家中包餛飩。餛飩簡易，可炸、可煮，而且有請媽媽，就不是與吉米打對台，解決了一個危機。

孩子成長過程中，點點滴滴，都要父母操心，難怪我朋友在猶太教堂結婚時，長老告訴他，做父母的第一個戒律就是要自己帶孩子。只有自己帶，才能在第一時間知道孩子的情緒出了問題，馬上尋找補助之法。不過做父母的並不需要廿四小時跟在孩子身邊，因為跟太緊反而會驅離孩子，而最好的關心是無聲的關懷，適時的給予指導，做榜樣給他看。古人「賤尺璧而重寸陰」是有道理的，時間過去就不復返，成長也不能逆轉，能夠陪伴孩子一起成長，其實是上天給我們一個再成長的機會，在孩子成長的同時，我們也學會從孩子的眼光來看世界，找回赤子之心。

人老時，很多記憶都褪色，但是對一個媽媽來說，孩子的笑容是烙在腦海中，永不褪去的。當一個人老到眼睛也看不見，耳朵也聽不見時，唯一留下的便是記憶，如果這記憶是美好的，那麼他一生沒有白過。但願天下的父母都能把握孩子成長的短暫時期，營造一生最美好的回憶。

2 沾沾自喜的橡皮擦媽媽

前一陣子在報紙上看到一篇讀者的回響〈我也當橡皮擦媽媽〉，大意說這個媽媽在孩子尚未上小學一年級之前，每天晚上檢查功課，她一邊罵，一邊擦，孩子一邊流淚，一邊重寫，每天擦了寫，寫了擦，一直到工整為止，孩子一到晚上就戰戰兢兢，很擔心寫的字會不會過關。這位媽媽「為了孩子好」，不顧長輩及先生的求情，一直繼續扮演嚴母的角色，幾個月以後終於看到了成果，功課拿到甲上，親友稱讚，學校給獎狀。這位母親寫得很得意，我看了卻很不忍心，這個孩子真可憐，而這些苦其實是不必吃的，因為這不是他不肯好好寫，而是他的能力還做不到這些，這個母親是強迫孩子去做一件他做不到的事。

一個孩子如果知道每天晚上都要檢查功課，而字寫得不整齊會被擦掉重寫，他就不敢再亂寫了；但如果他已經好好寫了，寫出來的字還是不整齊時，很可能是他的手臂小肌肉尚未成熟，對筆的掌握、力道的操控還沒有發展完全，所以寫不好。強迫一個尚未準備好寫字的孩子，每天流淚去寫字，那是件很殘忍的事。他後來字變漂亮了，很可能跟他逐漸成熟有關，因為孩子是一天天長大，身體一天天成熟的，成熟後自然就做得好，所以小孩子的字跟大人的一看就是不同。

既然是身體成熟的關係，而不是不盡心的緣故，我們何不退後一步，用鼓勵的方式，獎勵他寫得工整而不是每天罰他重寫。在小學一年級就嘗到念書的苦味，他的人生未免太可憐了。雖說好習慣要從小養成，但也是要看每個孩子的發育情況，有人發育快，有人發育慢，而在孩子入學「前」就當起橡皮擦媽媽，絕對是太早了。教育部把小學作業簿的格子放大，就是因為絕大多數的孩子在入學時，手控制筆的小肌肉尚未成熟，字會寫出格，為了避免因此而被罰，所以把格子放大。

藉由這篇文章，讓我看到兩件事：第一是我們學校對生理衛生的課教得太少，大部分父母不知道大腦和身體發展的過程，因此在判斷上會出錯，常以別人的孩子為標準，忘記了其實每個孩子並不相同。

另一件事是台灣的父母還是非常在意孩子的成績，為了甲上可以讓孩子哭幾個月。有一位老師說，他請每位家長買一本書在班上閱讀課時共讀，結果家長紛紛來問是否一定要買；但是他要家長出錢買考卷時都沒問題，從來沒有人來過問。這實在很令人沮喪。現在新資訊的湧現非常快速，孩子離開學校，進入社會時，舊的資訊已不斷被淘汰，我們為什麼還要那麼在意孩子的成績呢？

在廿一世紀，學校已經逐漸從死的知識傳授到思想的開發、動機的引誘和紀律的培養，尤其這個紀律是包括自我的要求及團隊的合作，全世界的教育理念都在隨著時代的進步而改變，只有我們還在墨守成規，小孩子還在哭哭啼啼地寫字。當然，認字和寫字是必要的，但字寫得好不好看，說實在的，不及他說得有沒有道理來得重要，何況現在打字這麼方便，連手機都可以打字，何不讓孩子多一些時間去讀一些他喜歡的書，玩一些他喜歡的遊戲呢？

成熟是件很奇妙的事，它是水到渠成，時間到了自然會好。曾經有人先扶著雙胞胎的哥哥學走路，結果哥哥果然比弟弟早了幾個禮拜會走，但是當弟弟自己會走路時，他走得跟哥哥一樣好，絲毫沒有差別；如有不同，那是弟弟少吃一些苦，因為哥哥膝蓋軟骨尚未發展成熟，硬被拉起來走，腿痛，多流了些眼淚。所以快樂健康的成長是養育孩子最重要的目標，親友的稱讚與孩子的眼淚比起來，前者的代價太高，所以請不要「為了他好」，而強迫他去做尚未成熟的技能。

3 不要偷看孩子的日記

朋友國二的女兒本來很乖巧，放了學像小鳥一樣吱吱喳喳跟母親講個不停，現在突然放學不立刻回家，留在學校做功課，回來後洗過澡就不再出房門，母女倆面對面時眼睛也避免跟母親接觸。朋友慌了，暗中查訪，女兒的確有留在學校讀書，並沒有交男朋友，但是整個行為都不對勁，連星期天都說要去圖書館念書，她非常的憂心，跑來找我。

行為突然改變當然是有原因的，我細問行為改變前後家中發生的事，朋友說什麼都沒有，唯一就是女兒在日記中用粗話罵了弟弟，她告誡她女孩子不可以講粗話。我問她怎麼知道女兒在日記中罵粗話，她理直氣壯的說：「我看到的呀！不看怎麼會知道？」我再問：「她給妳看的嗎？」她說：「當然不是。我有一天清她房間，換床單時在枕頭底下看到她的日記，就拿起來看了一下，不過，」她加強語氣說，「她小時候寫的任何東西都給我看，以前學校發生什麼事也都告訴我，我們母女是沒有任何祕密的。」

我望著她，感嘆天下的父母都沒感覺到孩子已經長大，還以為是襁褓中萬事依賴自己的寶寶，殊不知孩子一天天成長、一天天有自己獨立的人格時，她開始有一塊自己內心的世界，這個世界如果被闖入，會有家被小偷侵入的感覺，說得嚴重些，就是心靈被侵犯。孩子吱吱喳喳說著學校的事情時，那是她願意分享的部分，但她逐漸會有一部分是保留給自己的，假如每次和父母說話都是愉快的回應，那麼孩子就願意多跟父母分享她的經驗；但是如果得到的是批評，幾次以後孩子就學會不再自討沒趣，會像蛤蜊一樣，一回家就把嘴閉上。

親子溝通管道的關閉我認為是最危險的事，這迫使孩子向外人求援，但孩子的同學都與他同年齡、同經驗，他們的主意多半是餿主意，結果一步錯就千步錯了。父母若想要跟孩子保持溝通管道的暢通，一定要記得他是獨立的個體，在他話沒說完之前，先不要打斷他，更不可不分青紅皂白就指責起來。我們自己也有這樣的經驗，當我們向別人訴苦時，如果對方是同情的態度，我們會越講越多；假如對方不耐煩的指責我們，下次我們再也不會找這個朋友講心事了。孩子若能從你身上得到幫助，他會來找你；如果從你身上得到的是責罵，以後一定不會來找你。

至於日記裡寫的東西，父母其實不必太緊張，那原是宣洩的一個管道，在日記裡罵就等於是在心裡罵一樣，不應該會有人知道的；一旦日記不再是安全的宣洩場所，這個孩子會更苦悶。聰明的孩子很小就懂得把自己的祕密說給別人聽是件愚蠢的事，同學會背叛，好友會背叛，連自己最親密的伴侶都會背叛（許多人離婚後就寫回憶錄，什麼私祕都抖出來）。我們從經驗中學會父母是最安全的傾吐對象（有人說中國的心理治療師很少，是因為我們家庭結構緊密，有家人可以傾訴，所以不必找受職業道德束縛的心理治療師），然而一旦父母不可信任，孩子會深深感到背叛的傷害。這孩子選擇逃避、不回家、不跟母親眼神接觸，因為她已無法正視母親而不質問：「為什麼要偷看我的日記？」

我的朋友不認為她是偷看，只是關心，但是很多孩子就是被這種關心逼出了家門。真正關心孩子是應該要尊重他、接受他、陪伴他，他心中有話自然會告訴你，請不要偷看孩子的日記。

4 家教是給孩子最好的禮物

我去朋友家吃飯，看見她念小學二年級的女兒在飯桌上大聲的說：「媽媽，你笨死了，你炒的菜有夠難吃，我不要吃！」我很驚訝一個孩子怎麼可以這樣對媽媽說話，更驚訝的是朋友竟然沒有生氣，反而說：「哪一道菜？你說的是哪一道菜？」我看到孩子跋扈的樣子實在忍不住，便趁洗碗時告訴她孩子不能縱容，想不到她一肚子苦水說她也不願意如此，而是照書上所寫的在教，因為有一本親子教養的書說：「當父母被子女批評時，不能覺得面子掛不住，甚至覺得不被尊重而生氣，導致親子之間不愉快的情緒。要了解這是孩子在表達心情，父母要耐心聆聽，寬心對待，不能露出憤怒的表情，不然會造成孩子的畏懼與不安。」我看了真是哭笑不得，問我朋友她的普通常識到哪裡去了，怎麼會全盤接受這種似是而非的理論。

孩子第一需要知道不可出口傷人，不可以用自己是「直話直說不懂得修飾」來做藉口而傷害到別人。朋友的女兒所說的那句話其實不是「孩子表達心情」，而是嚴重傷害到別人的自尊心，這種話連跟同學都不能說，更何況是自己的媽媽。孩子應該對父母敬愛而不是友愛；有敬，父母的教誨才聽得進去。在一個家庭中，父母是主，孩子是從，主從的觀念連低等動物都有，而動物是有領域觀念的，在馬戲團中，馴獸師一定是先進入場地，動物再帶進來，因此動物會聽馴獸師的話，因為先來後到，客對主要讓三分。假如孩子認為父母是平輩，就難怪父母講的話孩子不聽了。

第二，孩子並沒有那麼脆弱，父母一生氣，孩子就崩潰。佛洛依德所謂的童年創傷其實是指如性侵害或虐待等嚴重傷害，一般父母的教誨是不會留下人格烙印的，反而是不教他、溺愛他，以後出社會會吃大虧，因此父母賞罰要分明，改正要及時。很小的孩子做錯事，被罰他可以接受，不能接受的是被冤枉，而挫折對孩子來說不見得不好，有時反而是品格的鍛鍊。人生原本就充滿了挫折，孩子必須懂得如何把危機變轉機，將逆境扭轉過來。父母不可能跟著孩子一輩子，永遠保護著他，如果能藉各種機會訓練出孩子不屈不撓、再接再勵的人格，對他人生旅途上的幫助或許更大。

第三，不是所有正向的回饋都對孩子好，孩子固然需要鼓勵，但是不對的時候更需要告誡。孩子必須從日常生活中學會待人接物的方法，這種學習是個內隱的學習，這種記憶直接儲存在神經連接的突觸上，即使將來得了失憶症，他的人格特質、生活習慣都沒有丟掉。孩子的安全感不是來自父母無所不在的呵護，而是當他需要父母時，父母能適時給他指引。

看到現在的孩子沒有禮貌，在電梯裡見到長輩不打招呼，在公車上不讓座，跟父母講話沒大沒小，真是令人感慨。家教是父母給孩子最好的禮物，教養與風度是打開社交場合大門的鑰匙，而「盡信書不如無書」，坊間有不少「親子教養」的書籍，品質令人擔心，做父母的實在不必戰戰兢兢，每天捧著書看當作「教戰手冊」。教育兒女不是要照食譜炒菜，因為每個孩子都不一樣，不可一板一眼照書教，請相信你自己的普通常識，如果孩子快樂，別人也快樂，你就做對了。

5 母親的味道

朋友五十大壽，大家替她慶生，在酒酣耳熱之際，她突然跳起來，拿出手機，撥了號碼，悄聲說：「乖囝，要起來了。」然後就把電話掛斷。看到我們驚訝的眼神，她不好意思的說，她的孩子在美國讀書，今天期末考，孩子請她打電話叫他起床，以免耽誤考試。我們忍不住問她難道她不知道有個東西叫鬧鐘？買個鬧鐘遠比長途電話便宜多了。她笑笑說：「鬧鐘沒有母親的味道。」原來她生長在貧窮的農村，每天要步行五公里去上學，家中沒有鬧鐘，都是她母親叫她起床去上學。有一次她母親生病不能起床，小孩子愛睡，結果就遲到了。從此她就很擔心睡過頭，每天都交代她母親一定要記得叫她起床。考聯考那天，她一早起床準備做最後衝刺，突然發現母親一夜未睡，坐在椅子上等天亮，因為害怕萬一睡著了，起得不夠早會耽誤她趕考。

她考上大學到台北讀書後，第一件事便是用家教賺的錢買了個鬧鐘，從此不必再擔心遲到，但是有了夢寐以求的鬧鐘，她反而開始懷念母親那句「乖囝，天光光該起床了。」暗誓一定要好好賺錢，改善家裡的生活。但是她大學未畢業，母親便因子宮頸癌過世，因為當時衛生保健觀念不普遍，鄉下也沒有醫生，等到發現不對勁時已經第三期，病入膏肓了。這變成她終身的遺憾。

等她有了孩子後，她也以母親教她的方式去教她的小孩，雖然那時經濟情況已大幅改善，她仍然每天早上叫孩子起床，親手打點他的早餐與中午的便當。她很高興的說，孩子已經去國外念書了，每天母子仍然通個電話，彼此關心一下。她說完我們都非常羨慕，現在有誰的孩子肯每天跟父母通電話，晨昏定省呢？她孩子出生時，她自己事業已經很成功，但是她沒有假手佣人，有時工作到很晚，早上實在爬不起來做早飯，但一想到母親就還是爬了起來，因為母親從不曾讓她空肚子上學，每天早上都叫她喝下三碗蕃薯粥才讓她出門，熱熱的稀飯讓她一路走到學校心頭都還暖暖的。她說她希望她孩子將來也以同樣的心去對待她的孫子，因為有媽媽關心的孩子不會變壞。

好個「有媽媽關心的孩子不會變壞」，物質欲望在人年輕時好像比較重要，我們不停的與別人比較有形的外表，追求別人有而我們沒有的東西，但是到人老了，經歷過世事滄桑後，我們才明瞭內心的滿足才是人生最大的快樂——家庭和樂，孩子孝順，身體健康就是最大的滿足，其他都是鏡花水月。父母可以幫助我們的就是在我們還沒有經歷過世事磨練時，就以身教的方式教導我們正確的價值觀，使我們少走冤枉路及減少我們無可逆轉的懊悔。

看到我朋友，我很感謝我母親從小把她的人生經驗傳給我，讓我沒走什麼冤枉路，她教我每天睡前把今天未做完的事寫下來，俾使萬一明天起不來，別人可以接下去做。母親的這個教誨養成我今日事，今日畢，不拖欠的習慣，因為不拖欠，所以睡得安，睡得安身體便好，每天可以做更多的事。

父母親的身教就像涓涓之水，隨時隨地都在灌溉我們的心田，很多都只是生活中的小事，就像朋友這個鬧鐘故事，但是它卻可以影響孩子的一生。

6 營造愉快的故事時間

孩子小的時候，我常念《西遊記》給他聽，因為它的故事情節比《哈利波特》、《魔戒》更精彩，而且人物生動，呼之欲出，我非常喜歡。而在念的過程中，我發現孩子雖小，但是都有聽進去，很多人常質疑「他聽得懂嗎？」其實是我們低估了孩子的了解能力，他無法表達並不代表他沒聽懂（也就是語言學大師喬姆斯基〔Noam Chomsky〕所謂的語言能力〔linguistic competence〕和語言表現〔linguistic performance〕是兩回事）。他的了解常會在你意想不到的地方顯現出來。

例如，有一天我母親帶他去廟裡拜拜，小孩子免不了問東問西，我母親便告訴他說：廟裡拜的是佛祖，道觀裡才有玉皇大帝、太上老君。兒子回家便問我：「為什麼在《西遊記》中祂們可以住在一起，在台灣便不能？」使我一時語塞，他緊接著問：「上帝和阿拉也住在天上嗎？為什麼祂們在天上可以不打仗，我們在人間卻要為祂們打？」我忘記我當時是怎麼回答的（好像是天很大，並沒有住在一起，所以不會吵架），但是我對他的聯想力和把事情串在一起的能力感到驚訝。其實每個小孩都有這種能力，只是看我們有沒有給他機會，讓他把心中的想法說出來，跟他討論，引導他罷了。

美國家庭常有一個床邊故事時間，每天晚上睡覺之前，父母把電視關掉，專心陪伴孩子三十分鐘，這三十分鐘可以念故事或是討論白天發生的事情，父母通常是講個愉快的床邊故事，然後對孩子說「做個好夢」，才熄燈走出來。我很喜歡這個「傳統」（因為幾乎家家戶戶都有這個床邊故事的習慣），一方面孩子是在父母的注視下入睡，心中很踏實，知道自己有人保護，可以安心入睡；另一方面，睡前念的故事讓孩子「乘著歌聲的翅膀進入夢的王國」，可以啟發他的想像力。

反觀我們的孩子，上學期間當然是不用說了，做完功課，身心疲憊，常是爬上床倒頭便睡。而即使是不用做功課的幼稚園小孩，父母也很少念故事書給他聽，多半是隨著大人看電視，有時是在沙發上睡著了，才抱進房裡睡，他閉上眼最後的影像是電影的打打殺殺或庸俗的綜藝節目。很少有父母肯關掉電視，把注意力專注在孩子身上，讓他享受被重視的樂趣，成為你注意力的焦點。

最近看到一份夏令營的回饋單，對「你最希望爸爸為你做什麼？」的問題，大部分的孩子寫「陪伴我，帶我去玩」；對「你最希望媽媽為你做什麼？」的問題，答案竟然是「不要碎碎念，多原諒我」，還有一個孩子寫「抱抱我」，看了令人心生不忍。這些願望都不難達到，也是孩子本來就該享有的，為什麼我們的孩子冀求不到呢？

一九五六年美國心理學家哈洛（Harry Harlow）教授的猴子實驗已經明顯指出「有奶不是娘」，孩子要的是安全感、父母的關心與稱讚，不是物質上的享受，為什麼我們還是要日夜加班，賺錢給孩子用，我們是真心為他們賣命呢，還是為自己的虛榮？如果是前者，顯然物質享受不是他們要的；如果是後者，孩子的童年只有一次，不能重新來過。

請你以孩子為重心，一天至少撥三十分鐘陪伴他，讓他感受到你的愛心。哈洛的實驗顯示，你對他的愛會使他將來也成為好父母，把你的基因好好傳下去。

7 請給孩子自由的空間

有一天中午吃飯，順便看一下舊報紙，突然之間斗大的幾個字「國三生活，不是念書，就是被念」映入眼簾，原來有一個國三學生上課上到一半不見了，全校緊急搜尋，最後在樓頂的水塔旁找到他。這學生說自從升上國三，每天不停的考試與念書，已經疲乏得像機器人一樣了；回到家還不能放鬆，如果稍微休息一下就被父母念，連吃飯時看個電視也會被念，他覺得每天都是念書、考試、挨罵，這無止盡的循環使他很煩、很累，所以想去找解脫。我看了非常難過，這種日子的確沒有什麼意義，不能怪孩子輕生，問題是有必要讓孩子過得這樣生不如死嗎？

我們先不談教育制度，因為這是我們升斗小民無能為力的地方，但是回到家來，父母的態度就是我們可以自己掌握的，為人父母的眼光一定要遠一點，現在的考試成績在十年後一點意義也沒有，重要的是，孩子如果在學校受到挫折，回到家裡父母一定要支持他。耶魯大學醫學院的基因研究發現，身上遺傳到兩個有缺陷的基因，容易罹患憂鬱症，但是只要有大人的關懷，讓孩子感到自己在別人心中還有一點價值，憂鬱症就比較不容易出現。

因此父母一定要給孩子一點自由的時間，隨他怎麼支配，不可以每一分鐘都計算在內，分秒必爭、緊迫盯人，這對孩子內心的感受非常重要。我的孩子一直都肯替我做家事——從小學四年級開始，一直做到他離家去上大學——重點就在我給他做事情的自由空間，只要他把工作做完，我不限定他怎麼做或什麼時候做。比如早上出門前我交代他洗衣服，下午我回來去收衣服時，發現有的衣服乾了，有的卻還是濕的，一問之下原來他曬了一、兩件後覺得這件事很無聊，就進屋裡去打電腦，打了一陣子再出來曬個一、兩件，所以到我下班時雖然衣服都曬上去了，但是乾濕程度不一致。

遇到這種情形，一般人都會很生氣，因為中國人的傳統是要孩子有始有終，做一件事就要從頭到尾做到完才停止，可是我想這個從頭到尾並沒有規定中間不得停頓，只要他做完了，中間的過程應該可以有些通融。所以我並沒有罵他，只告訴他為什麼衣服要曬太陽的原理：晚上許多昆蟲出來覓食，會在衣服上下蛋，而大太陽的紫外線正好可以消毒。他小時候曾經看過加州大學一位昆蟲系的教授去亞馬遜河採集標本時，被一種小蟲叮了一口，把蟲卵下到他皮膚裡，結果這位教授手臂紅腫不消，當醫生用手術刀劃開紅腫時，裡面跑出來好幾隻蛆。這件事兒子印象深刻，經我一講，他就覺得有道理，下一次他曬衣服時就儘量在中午以前曬完。給孩子一點自由的空間，他便不覺得是被逼在做事。一旦他覺得有主控權、是他自己的決定，他心中就甘願多了。更何況我們自己做事情的方式也不見得是最完美的，實在沒有必要強迫孩子完全按自己的方式去做。

孩子慢慢長大後，便會有自己的想法，父母要稍微尊重孩子的自主性，如果孩子完全照我們的方式去做、一成不變的話，人類怎麼會有創新呢？只要目標達到了，請給孩子一點自由發揮的空間，人類的文明就是來自不完全聽父母話的孩子的創意上！

8 人應該為自己而活

同學會時一位同學很感嘆的說，以前孩子小的時候，白天上班，晚上帶小孩，蠟燭兩頭燒，可是一點都不覺得累，每天天一亮便跳下床，準備一家子的早飯，送孩子去上學，自己努力打拚；可現在為什麼孩子大了，不需要整天忙接送，工作也熟練不緊張了，反而覺得很累，提不起勁來呢？這真是一個好問題，為什麼在孩子小、有房貸壓力、工作上又時時得看老板臉色，戒慎恐懼過日子時有精力、有衝勁，反而在孩子長大、房貸還清、自己也升做小主管後，覺得意興闌珊，日子難過了呢？

大家七嘴八舌的討論，有人說年紀大了本來就會如此，有人反對，我卻覺得有一個原因是「預期」和「驚奇」這兩種訊息量的不同，會帶來不同的心理感覺。孩子小時，我們期待他將來成龍成鳳，光耀門楣，所以我們拚命賺錢培養他，教育他，給他最好的機會，每一個苦我們都甘之如飴，因為這個錢賺了是給孩子去交補習費，將來出人頭地。每一個父母都暗暗立誓，「孩子，我過去沒有享受到的，現在都要讓你擁有。」

但是當孩子一天天長大，個性一天天明朗時，父母看到孩子不可能成為自己理想的那個人，失落之感便油然而生。孩子開始說：「我就是我，我不會把自己變成你所期待的我。」父母很懊惱，不知自己哪裡做錯，使孩子偏離了自己設計的軌道，於是更加努力去塑造孩子，直到有一天教訓孩子時，孩子順手把父母推回去，這時父母才猛然覺醒：孩子管不住了，自己已無能為力了，只好承認「投資失敗」。這時父母的日子便過得一天比一天消沉，因為「預期」是不會帶來興奮的，只有每天驚奇孩子又學會了什麼時，才會覺得興奮快樂。

這究竟是誰的錯呢？父母、子女都覺得自己很委屈，父母覺得自己盡了力要做個好父母，但是失敗了；孩子覺得自己也盡了力，無奈父母的要求過高，達不到。雙方都對自己產生懷疑，對對方不滿，造成親子關係的緊張與家庭氣氛的低沉。其實，我們常把得不到的想像得很好，所以痛下決心一定要得到，這是人的本性，但是在付出很大代價，短暫的虛榮煙消雲散後，往往覺得所謂的光榮不過如此，可是孩子失去的童年及破裂的親子關係已補不回來，後悔莫及了。

我們都知道這個故事：兔子、鳥、老鼠決定辦個學校，而牠們都覺得自己的長處很重要，一定要列入課程，於是小兔子被訓練去學飛，結果跌斷了腿，使牠原來可以拿A的跑，因而得了C；小鳥本來飛的很好，但是為了學打洞，折斷了翅膀，使原來可以拿A的飛翔，現在只有拿F了。強迫孩子去成為他不是的人，只會造成孩子的挫折感，賠掉他的自信心而已。每個父母都認為他這樣做是為了愛孩子，但是當我們愛孩子愛到只想把他們變成自己的榮耀與光環時，他們本身的榮耀與光環反而會在我們的企盼中流失，因為我們強迫他為我們的虛榮去做他不擅長的事。

我不知道有多少孩子在清明節的時候會覺得自己不孝，沒有達成父母的期望，但當我去掃墓，看到有個年輕人跪在墓前痛哭流涕時，心中很是感慨。我們不能要求孩子做到我們做不到的，因為那不合理，我們自己都沒做到。我們應該告訴他，只要做個頂天立地的好人，對得起國家民族與自己的良心，爸媽就很滿足了，你的一生你要自己去走，爸媽引導你，啟發你，但不規範你，強制你。當我們對孩子沒有非分的幻想時，我們就不會有痛苦的破滅，生活就不會了無生趣了。

每個人都應該為自己而活，包括孩子在內。請你為自己的人生而活，也留一個空間讓他為自己而活。

9 家庭是教育的核心

有個以前教過的學生來找我，告訴我她決定不做第三者，把拖了兩年的感情結束掉，我聽了很高興，但不免懷疑以前死勸不聽，現在為什麼會回頭。原來她最近搬家，清出以前我教她們時的講義，看到了破碎家庭對孩子心智成長及學業表現的傷害，她說因為愛對方，所以不希望對方的孩子因她而覺得人生有缺陷。

我聽了真是驚訝萬分，現在的學生在老師還握著生殺大權時都不賣帳，畢了業哪裡還會記得老師的教誨？真的這麼有效，應該每學期都用它，所以叫她把那份講義寄來給我看看。原來那是一份一九九四年的研究報告，美國全國有二一三〇名高中應屆畢業生接受學業測驗並回答一份個人成長歷史的問卷，結果發現在四十題中答對三十題以上者，雙親都在的比率佔53%，而單親的只有41%；一個禮拜有四天跟家人一起吃飯的佔60%，也就是說，家庭和睦、親子關係良好的孩子，在學校的表現也比較好。

這篇報告指出家庭是教育的核心，很多人把重點搞錯，當學生學習成就低落時，大家都把眼光集中在學校，責怪老師，忘記了家庭才是教育的起始點。在這篇報告中，是用「缺了輪子的汽車」來形容破碎家庭對孩子的影響，一個缺了輪子的汽車如何能跑得快呢？我記得台灣以前曾有「爸爸回家吃晚飯」的運動，不知道後來效果如何，但是「全家一起吃飯」比「雙親健在」更有份量，因為雙親雖然健在，如果不關心孩子也是枉然。很多父母忙於賺錢，並不能常常回家陪孩子吃飯，自然也就不知道孩子在學校的情形，而當孩子情緒有困擾時，是需要大人及時給予指引和安慰的，老師雖然可以取代一些，但並不能完全取代。

此外，這份報告說，父母給孩子最好的禮物是兩人相愛，因為雙親都在而父母感情和諧的學生，有52％答對三十題以上，而家庭生活「馬馬虎虎」（so so）者，只有39％答對三十題以上。假如家庭幸福，自己又有信心的話，比例立刻跳到83％。最主要是不論種族（黑、白、亞裔和墨西哥裔），家庭和睦都是學生表現良好的最大原因。雖然黑人在四種族群中表現最差，但是跟父母一起住的孩子有22％答對三十題以上，父母離異的只有9％；而家庭關係對女孩子來說比男孩子更重要，有家庭支持的女孩子學業表現優異，而且是不分種族皆如此。

孩子從父母身上學會自重自愛、人際關係、組織整理，這些都是成功的條件，一個孩子如果不能從家庭中得到他所冀求的注意，四年級以後他便會向外發展，尋求他人的注意，交錯朋友後就很難再導回正途了。一個有安全感的孩子敢於面對挑戰，不論這個挑戰是學業或事業上的。講義最後有點空白，我附上了一篇剪報，是美國一個著名企業家在他六十歲生日時，記者問他這一生還有什麼最希望擁有的嗎？他想了一下說：「我童年缺乏的父愛。」原來他父親拋棄他們母子四人，另結新歡，因此他一生狠命賺錢，但是再多的錢也填不滿他心中的洞。我學生在這裡用螢光筆做了記號，我了解她做決定的原因了。

對孩子，不可以生而不養，養而不教，父母的責任不是供給衣食、不挨餓、不受凍而已，如何提供一個溫暖的家，讓孩子沒有遺憾，才是父母的責任。因此我們要告訴年輕人，結婚前必須睜大眼睛看，結婚後，為了孩子雙方都要努力適應，畢竟在演化上，孩子的成功才是你的成功。

10 一場搜書包的省思

一位朋友來找我，問下學期有沒有學生可以代她的課，因為她決定留職停薪在家照顧孩子。我很驚訝，她的孩子從小乖巧聽話，自己會讀書還會幫忙做家事，如果小學時候都不要媽媽照顧，怎麼上了國中反而要呢？聽我一問，她的眼淚立刻掉下來，想不到一個在國際研究上叱吒風雲，愛滋病毒看到她就怕的女超人，竟然被我們的教育制度給打敗了。

原來，她那很喜歡上學的孩子進了國中以後，就變得很不喜歡上學，也變了一個人似的，回家不說話，學校發生什麼事都不肯說，看在母親眼裡，很著急，但又不知道該怎麼辦才好。才第一次段考，已有四科不及格，媽媽去學校偷看，發現孩子上課在睡覺，明顯是在抗拒學習，所以決定放棄自己的事業，回家陪孩子。

我覺得這麼優秀的人才放棄了研究是國家的損失，於是透過我做家教的學生，從社區中同班同學身上去了解行為轉變的原因。原來朋友的孩子書讀得多，比較早熟，寫了一首類似「少年維特的煩惱」的新詩要投《聯合報》副刊，想不到有一天升旗回來，班上有人丟了錢，導師便關上教室的門，搜身和搜書包。他的這篇新詩便被搜出來，當眾朗讀了一番，他認為是奇恥大辱，從此上課便閉目養神，不跟這些他看不起的人有任何瓜葛。我聽了很感慨，這個年齡的國中生特別愛面子，父母老師在責罵時要格外小心，不要傷到孩子的自尊心。搜身是人格侮辱，沒有犯罪不能隨便搜身，而書包則是私人財產，在沒有任何證據前也不能搜，更不能當眾把別人書包裡的東西倒出來展示。

我在念小學時，也曾發生過教室掉錢的事，老師先告訴我們不要帶很多錢來學校，以免引誘他人犯罪，該繳的錢班長在開學時就會先收齊交到辦公室，不給小偷機會，也不給自己添負擔。老師說，有錢就必須防人偷，因為財帛動人心，而個人品格本有良莠不齊，如果自己沒防好，錢丟了，自己也有責任。老師說偷錢的人不對，帶很多錢來學校招搖的人也不對。那一次雖然訓導主任要搜身及搜書包，但我們老師堅決不肯，他說：「我的班不是賊班，不能因為一個人就把我全班當賊看。」然後老師自己拿出錢來補給那個丟錢的同學，但是告訴我們他的信箱在哪裡，拿了別人錢的同學可以悄悄把錢還給老師。

我到現在還不知道是誰拿的錢，但我們從此不敢做壞事讓老師替我們出錢，因為老師家累很重。現在回想起來，很感謝我們小學六年級的導師，他教了我們自重自愛，維護了我們的尊嚴。或許有人認為搜書包不怎麼樣，但是家有被小偷偷過的人應該都記得，那種東西被陌生人翻倒一地、隱私權被侵犯的憤怒。

其實，如果我們靜下心來想一想，萬一老師真的當場搜出贓物來，不知叫那個偷竊的孩子以後該怎麼做人？他在同學面前永遠抬不起頭，而這件事則可能毀了他一生；若是私下規過，保留孩子的面子，不是反而給他一個自新的機會嗎？要知道，標籤一旦貼上去，是洗不掉的。「一點清油污白衣，斑斑駁駁使人疑，縱然洗遍千江水，爭似當年不污時。」看到這個孩子頹喪的樣子，真讓我難過，也深自警惕，做老師的切不可因一時大意而傷害了孩子柔軟的心。

11 沒什麼比成績更重要？

之前報載一個小學生偷安親班的獎狀，把自己的名字填上去，以博父母的喜愛。我看了非常心痛，為什麼只有功課好的孩子我們才愛？功課不好的孩子難道就一無是處了嗎？在我們打罵孩子偷竊行為之前，應該先靜下來想一想為什麼他要偷獎狀，我們是否有讓他覺得功課不好父母就不愛他的作為？孩子都非常渴望大人的稱讚，也都盡力想去達到大人的標準，但是很多時候，他的能力達不到父母的理想，這時的苛求會使孩子變成失落的一群。

多元智慧的推廣到現在也已有一段時間了，大家講的時候都頭頭是道，知道每種能力都很重要，做起來卻依舊是智育掛帥，功課不好的還是被人看不起。被人放棄的孩子常常也就自我放棄，難怪今年大學入學測驗會有考生在國文卷子上寫：「我的人生在國中就已經失去了。」當我們譴責孩子沒有考上大學時，不知有多少人會回過頭來問一下自己，在教養他的過程中，我有盡到啟發他心智、鼓勵他上進的責任嗎？在他跌倒時，我有拉他一把嗎？還是說：「別人都沒摔跤，為什麼你這麼笨？還摔的這麼難看，把我的臉都丟光了！」

我們的教育是個不容許孩子犯錯的教育，一有錯誤輕則挨罵，重則挨打，使孩子每天戰戰兢兢，讓學校不是快樂學習的地方，而是充滿恐懼的地方；對一個令人恐懼的地方，孩子當然是能逃則逃，中輟生的比例就一直增加了。其實這種求善、求全的態度是不對的，因為我們是人，一定會犯錯，只要不是品德上的錯誤，就不應該給予太嚴厲的懲罰，因功課不好而懲罰就更不應該，因為他可能是發育較慢，尚未開竅。品德沒有問題而只因功課不好而挨打，這是不公平的。

中國人不是常說「人有失常，馬有失蹄」嗎，大人偶爾也會出錯，何況孩子。我曾經看過一個孩子在幫忙排碗筷時，不小心打破一個碗，因為有客人在，母親沒有當場發作，只是惡狠狠地瞪了孩子一眼，那個孩子竟然發起抖來，顫聲說：「媽媽，對不起！」我看了好生不忍，這孩子才九歲，念四年級，就已經被她家裡要求不得犯錯，人生的路還這麼長，他以後怎麼活得下去呢？一個碗能值多少錢，孩子也不是故意的，但是有多少父母會順手給孩子一巴掌，還認為他罪有應得。前一陣子，屏東有個山地孩子去喝喜酒把他祖母的機車弄丟了，結果上吊自殺，一個正要開放的生命便因小事而夭折了，令人扼腕嘆息！而且機車被偷又不是他的錯，是小偷的錯，政府未能給人民一個免於被偷的居家環境，卻讓這個孩子賠上一條性命。有一首詩說：

莎士比亞是偉大的，哥德是偉大的，

但是他們兩位都不完美，

否則他們便毫無特色。

孩子有特色絕對比他完美更重要；有特色，社會才有生氣，有多樣性。如果我們不要求完美，就絕對會在功課不好的孩子身上看到其他優點，而看到優點就會去稱讚他，他就不必偷獎狀來博得掌聲了。西方有句諺語說「用蜜糖捉住的蒼蠅比較多」，要改正孩子的短處，先放大他的長處一定比較有效，但為什麼我們還是吝於稱讚我們的孩子呢？

12 大考小考，不能不考？

中國人很喜歡考試，認為考試最公平，但其實考試還是可以不公平，它可以從出題的方式下手，刷掉不喜歡的人。評量孩子的方式很多，考試僅是其中的一種而已，如果為了講求公平性，犧牲了不適合考試的孩子，不但流失了很多可以造就的人才，而且還會造成考試恐懼症，讓孩子視學習為畏途，如果再加上考不好而體罰，孩子的日子就更過不下去了。

有父母認為要多考試，熟能生巧，把考試當練習來做，這是非常錯誤的想法。「考才會懂」主要是考的時候學生才有機會「想」，平常都在填鴨，沒有時間想；孔子雖然很早就說過「學而不思則罔」，但教學仍以「填」為主，明知廿一世紀死的知識沒用，但是考試領導教學，考試的方式沒改，教學的方式也無法改，我們已快被時代所淘汰了，台灣如果要提升創造力，出題的方式就必須更改。

把考試當作練習最大的壞處是抹殺學習的樂趣，使學生一直處在恐懼中。我很記得念高中時，老師要穿越操場才能走到我們班，常有同學站在走廊上，倚著欄杆極目遠眺，想要看看老師有沒有帶書，如果沒有帶書，只拿一張紙，今天就是隨堂考。當大家聽到老師沒抱書時，那種驚慌失措的情形真是筆墨難以形容，有人發抖到手不能執筆，有人頻頻深呼吸，因為心臟亂跳，更有人感嘆二樓距離地面太短，跳下去也跌不死；而我念的已是全台灣的精英學校，如果「人上人」的學生都如此懼怕考試，其他的學生就更不用說了。我們有必要這樣每天來測學生的程度嗎？

學習其實是緩慢的，它的曲線是個波浪狀，也就是說，思考性學習的效果不能立即看到，要學一陣子後，有一天豁然貫通，就更上一層樓了；而後又經過一陣子的平台，有一天又突然豁然貫通，又更上一層樓。所以學習的曲線不是直線型，它是波浪型的貝殼曲線，直線型的學習常出現在技能方面，一直練習，技術就精進，但思考型的學習並非如此，舉凡許多大思想家、大科學家們，在學校都不見得是個好學生。有本書《心靈之眼》（*In the Mind's Eye*，洪葉文化出版），便列舉了安徒生、愛因斯坦、愛迪生、羅丹、達文西、美國的威爾遜總統、洛克菲勒副總統、邱吉爾、法拉第、馬克士威爾、詩人葉慈等著名人物，其實都不是老師眼中的好學生，但他們都對人類的文明做了偉大的貢獻。

用考試來當作練習以「增加記憶深度，因為錯了被打就永遠不會忘」，這也是完全錯誤的觀念，陪葬的是孩子的自尊與自信。我實在很驚訝，到現在還有人會認為考試可以幫助學生融會貫通，考過便印象深刻，多考可以熟能生巧，完全忘記了思考式的學習與技藝的學習是兩回事，思想的訓練應該強調靈活，舉一反三，技術的訓練才是要求熟練，如今我們把數學這種訓練思考的課當作技能的課來教，就難怪我們出不了大數學家。

最近發生一件國三學生因為快要段考了還在看課外書，被父親打了兩個巴掌以後跳樓身亡的事，令人非常感嘆。父母親把考試看得太重了，孩子看些課外書有什麼關係呢？知識不是相通的嗎？人生不是到處可以學習的嗎？又何必一定在意課堂中的學習及考試的評量？如果我們對考試的觀念不改，不知還有多少學生會用死來抗議考試對他身心的殘害。

13 改變孩子一生的老師

報載有一個小三的學生獨自伴著自殺的父親遺體，十五天後才被老師發現，報警處理。事後這位老師很自責，認為她應該早一點發現，這個孩子就不必受這麼多苦。其實她一點都不必自責，因為假如沒有這位盡責的老師，現在這個孩子恐怕還在伴屍眠。

在台灣，很多偏遠地區的老師，他們的責任除了傳道授業解惑外，還負擔了教養的責任，因為現在家庭功能不彰，許多老師等於是孩子的家長，我就曾看過一位國小校長騎摩托車送生病的孩子下山去看醫生，更有校長親自划竹筏，渡河到對岸求醫，這原是家長的工作，但是許多老師和校長都一肩承擔起來而無怨言。老師對一個孩子的影響是很大的，著名作家如梁實秋、黃春明，都一致說童年時遇到好老師，鼓勵他們寫作，使他們走上了寫作之路；很多得到諾貝爾獎的科學家也說，少年時遇到好的老師，引導他們走上科學之路。我們常用升學率當指標來評定老師的好壞，那是非常錯誤的，一個真正好的老師可以改變孩子的一生，因此人師遠比經師重要。

有一次，我晚上在一所山地小學親子座談，有另一所小學的老師冒著風雨，走著崎嶇的山路到這個國小來找我，只因為她有一位閱讀障礙的學生不知道該怎麼辦。看著這位年輕女老師帶著幼稚園的稚女，為了別人家的孩子在攝氏四度的氣溫黑夜來訪，心中真是無限的敬佩，這些老師就是我們國家的希望。我忘記告訴她，那天在我皮包裡有一封越洋的賀卡，寄給我賀卡的學生就像她口中的學生一樣，令所有老師束手無策，但是他也碰到了一位像她一樣的好老師，所以他現在在美國讀博士。

這個孩子是所謂的「拖油瓶」，跟隨母親改嫁過門，但是夫家並不承認這個孩子。八歲過年那天晚上，他因為偷吃年糕被新祖母看見，就罵他媽媽說：「一個人做，二個人吃，我們家怎麼不被你吃窮？」再加上別人一些冷言冷語，他母親當夜就跳河自殺，剩下這個孩子生活在一個充滿敵意的環境中，因此養成了「先下手為強」的壞習慣，只要一感覺到對方不友善便立刻出拳，以保護自己。

他這種愛打架的個性讓全校老師都對他頭痛，一直到五年級時碰到一個好老師，那個老師並沒有像別人一樣先指責他為什麼跟別人打架，而是在他被別人推倒在地時將他扶了起來，還帶他去洗乾淨。老師先釋出的善意讓這個孩子從此只聽他的話。這個孩子其實是聰明，可以受教，只是沒有機會而已。這位老師用獎勵的方式，只要他做對一點點，便當眾獎勵他，讓他在同學面前漸漸抬得起頭來，有了自尊和自信，別人的閒言閒語便不會那麼容易激怒他；環境雖然還是一樣惡劣，但是因為有了關心的人，感覺就不一樣了。這位老師在一個機緣與我熟悉後，請我幫助這個孩子進入一間住宿的中學，脫離原來敵意的家庭。一個有生命力的孩子，一旦脫離了陰影，就快速的茁長，在大學裡找到了一個好女孩，一起出國念書，他的人生就因為這位老師而走上不一樣的道路。

做老師很辛苦，有改不完的作業，上不完的課，但是這也是最好的行業，只要盡心盡力，一定會豐收。

謝謝這位老師看到聯絡簿沒有簽名便主動關懷，因此而拯救了這個孩子，相信他一輩子都會記得這位好老師。

14 思考，是根隨身的釣竿

早晨在等公車時，聽到兩位老師在抱怨被派去校外研習，無趣、無益加無奈。從她們談話聽起來，花時間又學不到東西，難怪老師寧可在學校改卷子，視研習為畏途。但是研習其實有其必要性，因為教育是為學生進入社會做準備，而時代進步得很快，因此老師必須快速地吸取新知，才能跟得上時代的需求，像聽演講就是個很好的吸取新知的方式，因為台上一分鐘，台下十年功，上台講一個小時至少要準備三個小時才行。同時，理論與實務是有差距的，聽演講可以吸取書本所沒有的實務經驗，這是千金難買的機會，我自己覺得最有效的學習，便是聆聽有經驗者的心得。

我曾與復興中、小學的李珀校長一同去原住民部落服務，在路上，我們閒聊教學的種種，她談到，考試並不是最好的評量，在課堂上叫起來問問題更能即時了解學生的程度，可立刻補救。但是問問題要有技術，問的不好會使學生失去自尊與自信，給孩子負面的感覺，使他以後害怕在課堂上開口。她說，問問題不能按座位依序問下去，這會使同學只顧準備自己的，不去聽別人的回答；像她就是把同學的名字做成籤，隨機抽，迫使每個人都得聽老師的問題及別人的答案。如果問了答不出來，就得降低問題的難度，如果還是答不出來，便得提供可用的線索去鼓勵他回答，如果回答的答案不完全正確，老師要從正確的答案開始，先肯定他對的部分，再引誘他往正確的思路上去思考，通常透過這個方法，孩子會答得出來，這時他就會覺得很高興，因為答案是他「自己」想出來的，他會眼睛發亮，從此喜歡上這門課。

李校長說，這種方法是教導孩子思考，雖然多花一點時間，她卻認為很值得，因為教育的目的是給孩子釣竿，會思考跟知道答案是兩回事，前者比後者重要。最重要的是，孩子覺得上學是件正向情緒的經驗，不是自尊心被打擊的地方，而且這會養成孩子凡事先思考的習慣，就算不知道答案，也可以推理得之，畢竟天下事有固定答案的很少。

我常想，台灣上課的節數比美國多，學生也比美國做功課的時間長，為什麼我們在創新發明上比不上人家？其中有一點很可能是我們到現在的教學還是偏重在知識的傳授，比較少思考的啟發。我們很注重進度，每個老師都有進度要趕，沒有人可以坐下來想一下為什麼一定要趕進度？知識的獲得並不一定要坐在課堂上才能得到，孩子如果想學，在任何地方都可以學習，而學得最多最好的，反而是在他自由的時間，因為那是主動尋求知識的歷程。

我想，老師如果沒有進度的壓力，課堂時間的運用便可以針對學生的需求而活潑起來。在一本極為暢銷的書《優秀是教出來的》（*The Essential 55*，中譯本雅言文化出版）中，老師把一部分上課時間花在練習待人接物的禮儀上，讓他的孩子走出去都懂得禮貌，在別人還不知道你的能力之前，就對你有好印象。這位老師認為這一點比教知識重要，所以他把時間花在這上面，成功的帶出紐約貧民窟哈林區的孩子。我想課堂的經營權應該還給老師，使他可以因材施教，把每個孩子都帶上來。

教師進修是老師們充電、交換心得的良好機會，希望每週三的時間都能讓老師覺得不虛此行才好。

15 教育是不能等待的

今夏在舊金山遇到一個以前在加州大學教過的學生。我會記得她是因為她與眾不同，一項工作交辦下去，當別人還在討論分配工作時，她已捲起袖子在幹了，而且從不浪費時間，連中午在餐廳排隊買午餐時，都在背ＧＲＥ的生字。她畢業後一邊教書一邊念研究所，後來我回台灣就失去聯絡了。想不到她學有所成，已做到了校長，而且因為辦學成績優秀，得到州政府的獎勵。她告訴我她是怎麼經營她的學校的。

她的學校偏遠窮困，學生多半來自單親家庭，很多是靠社會救濟金生活，更有父母因為吸毒而關在監牢裡，因此學生很散漫，老師很沒勁，大家都在混日子。所以開學時，她寫了一個校訓，每天早上把孩子集中起來，大聲念：「我來上學是為了學習，我會好好學習，我要以我為榮，更要別人以我為榮。」美國並沒有升旗典禮或朝會，但是為了讓學生知道上學是為了什麼，她每天早上都舉行朝會。

但是，只有口號而沒有實質是不行的，她要孩子以自己為榮，這些孩子就必須要有光榮的理由，所以她說不管孩子在家裡怎麼髒，來到學校後他們都是乾乾淨淨、整整齊齊的，跟有錢人家的孩子一樣，頭是抬得起來做人的。於是她買了一台洗衣機和烘乾機放在學校，叫骯髒的孩子去體育室洗澡，把髒衣服換下來，穿上募來的乾淨衣服去上課，而只要校長或任何人有空，就把衣服丟進洗衣機去洗，等孩子放學回家就有烘好、摺好的乾淨衣服在等著他。她說這機器是整天不停的運轉，值回買的每一分錢，而且乾淨的孩子不會自慚形穢，反而因為自己乾淨了，就覺得環境太髒跟自己不相配，而想要整理環境，所以她每個週末都穿牛仔褲和自願來的學生及老師一起整理校園，學生在窗明几淨的環境中學習，效果當然比較好，也不再隨地亂丟紙屑。

她每天都讓孩子大聲朗誦「我來上學是為了學習，我會好好學習，我要以我為榮，更要別人以我為榮」這句話，要讓這些話深入他們的腦海中。她說：「老師你說過，思想決定行為，行為決定習慣，習慣決定性格，性格決定命運；而教育就是改變思想，改變學生的命運。」我聽了很感動，問她這種不按常理出牌的經營方式有無替她帶來麻煩。她說：「當然有，所以我要花很多時間跟別人溝通，但是教育是不能等待的，因為孩子一天天都在成長，我沒有辦法等待公文往返，請示上級撥款給我買洗衣機、烘乾機，我必須自力救濟，用義賣蘋果派、洗車等方式籌到錢來做我覺得應該要做的事。沒有任何事情比給孩子教育、給他自尊和自信更重要。他們在家的環境我沒有辦法控制，但是我可以做到只要進入學校，那就是安全、祥和的，沒有大人吵架，沒有鄰居罵三字經。教育是脫離貧窮唯一的機會，我要給他們這個機會。」

與她分手後，回到台灣在飛機上看到報載軍中取消每日的讀訓，有人贊成，有人反對，有人擔心失去了中心思想教育，軍人將不知為何而戰，為誰而戰。我想，這個故事應該可以給我們一點啟發。

16 從尊重他人做起

一個孩子隨著訪問學人的父母回到台灣讀了半年的台灣學校，回去時，大家為他們餞行，我問這個孩子：「你覺得台灣學校和美國學校最大的不同在哪裡？」他想了一下說：「在尊重。」我很驚訝，原本以為他會說功課的。我問他為什麼？他說台灣的小朋友不尊重隱私，要借東西沒有問過他就直接從他桌上拿走，或甚至去翻他的抽屜；老師也不尊重學生，常常檢查學生書包；他在校園中常會被老師喝住，因為他有不對的地方，但是他不知道是什麼地方不對，老師罵得太快了，他沒有聽懂；他最不喜歡的是老師在課堂上罵人，令他覺得很丟臉，即使罵的不是他，他也覺得不舒服，一整天心情都不好。

他的話使我想起最近看的一本書，那是一位美國老師的教學日誌，他發現尊重孩子常會得到比高壓更好的效果。孩子在班上都喜歡講話，所以他與孩子約法三章，當他在黑板上寫 Quiet 時，學生要立刻安靜下來。他會故意慢慢寫這五個字母，讓孩子把未說完的話趕快說完，結果他發現因為給了孩子一點緩衝期的尊重，學生會在他最後一個字母 t 寫完時，全班安靜無聲，反而比很生氣、很大聲說「安靜」效果要好。很多時候給別人一點尊重，會有意想不到的結果。

尊重是人與人相處的基本條件，必須要從小教導，因為有尊重才有自重，有自重才有自愛，自重自愛才會交得到朋友，才能在社會上立足。很多父母不耐煩跟孩子溝通，在孩子小的時候用高壓的方式管教，一旦孩子長大，壓不住時，問題就來了。權威高壓的方式只會得到表面的服從，內心的不滿會像火山一樣，一旦爆發便不可收拾。所以小時候被權威高壓管教的孩子長大後容易叛逆，這個叛逆其實是積壓已久的火山出口。很多青少年常因一點小事便打人殺人，這些有暴戾行為的人，基本上從小就不曾被人重視過，所以長大也不會去尊重別人。

這個不尊重別人的惡風在社會上已經很久了，我們看到銀行或公家機關的人員將客戶或人民的個人基本資料賤賣給詐騙集團；在電影院、音樂廳大聲講手機；在公共場所縱容孩子亂跑、大聲喧嘩；車子隨意停放而阻礙交通等等。這種不尊重人的情形連政府都如此，報載經建會決定封山，結果說封就封，不顧山上還有未收成的高麗菜，也不顧還有尚未搬遷下來的居民，結果那些菜因為無法運送下山而爛在田裡，農民血本無歸，孩子上學也無錢繳學費。之前一輛台電工程車去德基水庫送補給品，不幸翻落山谷，二人死亡。一個本來只要二個小時的車程，因為封山不修路，必須繞道宜蘭，多花八個小時，天雨、路滑、人倦，兩個壯年人就無辜送了命，令人惋惜。政府應該尊重人民，先溝通，再做決策，做了決策也要給緩衝期，人是慢慢適應改變的，突然的改變大部分人是無法接受的。

尊重要從小教起，當孩子從小被尊重時，他長大自然不會叛逆；當人民被政府尊重時，他自然不會去抗爭。

我們的物質生活越來越精緻，但是行為卻越來越不像文明人。聽到這個孩子的話，我很慚愧，從政府到老百姓，我們都沒有給孩子立個好榜樣，新的年剛剛過，或許我們就從尊重別人做起吧！

17 愛，不應該成為壓力

最近參加一個女性主管的晚宴，席間，大家談的都是工作壓力，結婚的還外加公婆的壓力，每一個人都覺得自己透不過氣來，每天苟延殘喘。看到主管都如此，不敢想像下屬的壓力會是怎樣。其實排解壓力最重要的一點是：了解壓力不是來自外人，而是你自己。如果你不要這個壓力，別人是無法硬加到你肩頭上的，因此壓力的來源是你對事情的看法，也就是說，你的觀念。

我們從小就被教導要取悅別人，孩子要取悅父母，妻子要取悅丈夫，媳婦要取悅公婆；這個出發點是愛，我們尊敬父母、丈夫、公婆，所以想辦法取悅他們，但是愛的方式如果不當，就會成為壓力的來源（有一個孩子跟我說，他最大的痛苦來自他母親，因為他無論怎麼做都無法取悅她）。然而就因為我們無法改變別人的行為，所以只好改變自己的觀念，合理的壓力才承受，不合理的就要拒絕。

因此，我們應該從小教導孩子不必去做能力以外的事，長期的取悅別人會失去自我，一個失去自我的人是不會快樂的。自己的不快樂會影響家庭的氣氛，所以達賴喇嘛在《愛心》（*Dalai Lama's Book of Love & Compassion*，中譯本遠流出版）這本書就說：「愛自己很重要，如果全然罔顧自己的利益，全然犧牲，這並非慈悲，真正的愛應該以自己為優先對象。」因此去除壓力的第一個條件是做自己，不過做自己是需要一些條件的，一個就是隨遇而安，物質欲望不能太高。我去美國讀書時，父親告訴我，「不要怕，一身養一口，只要肯做，絕對餓不死，只要身體好，白手可以起家。福建人去南洋打天下靠的就是健康的身體和苦幹的精神。」然後他很嚴肅的告訴我，生活水準要壓低，最好到一簞食、一瓢飲的地步，因為只有這樣才不會為生活而出賣靈魂。他告誡我不要承擔能力以外的事，承諾前先評估，自己做得來才接案子，接了就全力以赴，若是超越自己能力以外的事，再多的酬勞都不可以接，因為那會賠掉你的名譽和健康，超越能力便是壓力。

去美國以後，有很多次考驗到父親的話，事後證明他是對的，人不能虛榮，如果不是實在的自己，騙得了一時，騙不了一世，自己有多少能力自己最清楚，別人的奉承不可當真。

聽了席間諸位女強人的話，我很慶幸父親在我離開學校進入社會時，給了我心理建設，叫我不要委屈自己去取悅別人，只有自己快樂，孩子才會快樂，丈夫才會快樂，家和萬事興，事業才會成功。我來自移民家庭，祖父很早就去南洋打天下，靠自己白手起家，所以我比較少中國傳統的委曲求全的觀念，知道人要做自己，不是做別人眼中的你。當生命走到盡頭時，唯一有意義的是你對自己的看法，而不是別人對你的看法。

「只有當我們活得快樂時，愛我們的人才會快樂。」只要把握住這個觀念，很多壓力相信都可以迎刃而解。愛如果成為壓力，就不是愛而是一種負擔，這時我們必須有勇氣的站起來，告訴愛我們的人，請他修正他愛的方式。

18 我們工作的目標是希望

我去桃園縣一所小學演講，突然聽到一陣悅耳的旋律從擴音器傳出來，原來是維瓦第的《四季》，正疑惑間，看到一群孩子衝到操場上玩耍，才明瞭原來是下課鐘。校長解釋說因為學校偏遠，孩子沒什麼機會接觸到藝術和音樂，於是他將世界名曲節錄二十秒，當作上下課鐘，讓孩子聽熟悉，熟悉後就會喜歡，喜歡了，他長大後自己就會欣賞。他說一個月換一次鐘聲的音樂，一學期下來至少可以聽三首世界名曲，六年下來也可以欣賞到很多。我聽了很感動，真是天下無難事，只怕有心人，「生活即教育，教育即生活」，人生到處都有受教育的機會，只看用不用心罷了。

上課鐘只是個信號，隨便用什麼聲音都可以，我小時候是校工搖鈴，人工貴了以後改為電鈴，但電鈴的聲音非常不好聽，為已經緊繃的升學神經更添壓力。後來很多學校換成西敏寺的鐘聲，但還是不脫打鐘的概念。這位校長的巧思將例行公事換成音樂欣賞，給了孩子多一點培養音樂細胞的機會。

其實，孩子在生活中所學到的東西遠比坐在課堂裡來得多，人類最早的學習是在生活中，而非課堂上，尤其「美學」這種人文素養，更是要從生活中去潛移默化才會見效，風度和涵養是惡補不來的。然而我們現在的教育只注重評量，只會用考試來測試學生的學習，凡是不能考的東西都當作不重要，真是走得偏差了。

這位校長又說生活教育最主要是整潔，學校窮沒有關係，但是要乾淨，所以暑假時他與老師們便把學校整理得乾乾淨淨，又種上一些便宜的小花，如非洲櫻、草牡丹等，整個校園立刻煥然一新，奼紫嫣紅，跟以前不一樣了。他跟我說「破窗效應」還真有點道理，校園弄乾淨後，學生就不再隨地丟紙屑了。而他每天早上站在校門口跟學生道早安，所以學生很自然的就養成了見面打招呼的習慣，連見到我都會說「客人好」，讓我很驚訝。

看起來我們的孩子是小時了了，越長大越糟，你肯定無法想像那些張牙舞爪、口出惡言的立法委員，以前曾經是說話有禮貌的小學生。我跟校長提到這一點，他大笑說沒有關係，教育就像播種，農夫都知道所撒下的種子不一定每顆都發芽，對他來說，只要有一半發芽他就很滿意了，那些不發芽的，至少也知道自己應該發芽，做不到是一回事，連是非都不分，又是另一回事，只要知道自己做的是錯事，這個人就有悔改的希望，就怕根本不知道自己做的是錯事。所以，他覺得基礎的人格教育很重要，根好，一時長歪還有機會扶正，就怕根爛了，上面再好，也不能持久。

我聽了很感動，台灣的希望就在這一群默默耕耘的教育工作者身上，每個孩子都是一顆希望的種子，我們永遠不知道我們耕耘的是未來的愛迪生還是愛因斯坦，但是只要有一個學生造福了人類，我們的辛苦就值得了。我想這是所有老師無怨無悔付出的主要原因，別人工作的目標是薪水，我們工作的目標是希望。

19 從一張感人的喜帖說起

最近接到一張非常獨特的結婚喜帖，卡片上印的是一個孩子畫的「婚禮」，有新郎、新娘、花童，還有一個大太陽，打開才是雙方家長名字及喜宴時間與地點，正納悶怎麼不是傳統的「永結同心」，一看小字，才知道這是新郎六歲時畫的。朋友帶她六歲的寶貝兒子去參加一個同事的婚禮，回來後，孩子畫了這張圖，跟他媽媽說：「我也要做新郎。」母親把這張畫保留起來，現在他真的做了新郎，母親便把它拿來當喜帖的封面。

我看了非常感動。這位母親這麼用心，難怪親子關係這麼好，一到週末，孩子必從宿舍回家，跟母親上菜場去幫忙拎菜籃。因為他們家是三代同堂，人口眾多，同事是長媳，雖然她因為上班不必負責煮菜，但是必須負責採買，菜買多了會重，兒子便來幫忙提菜籃。以前辦公室星期六、日有活動時她都很為難，因為太早去市場買不到菜，而遲到老板會生氣，這個孩子從小體會到母親的辛苦，因此上了大學還回家幫忙母親提菜籃。相較之下，那些把孩子交給托兒所，時間沒到就不去接，寧可去逛街的同事，她們的孩子就沒有這麼貼心。古人說「種瓜得瓜，種豆得豆」，真是沒有錯。

現在很多人不願生孩子，說投資報酬率太低，其實這是不對的看法，教育不能算成本，親情也不能用金錢來衡量，如果一定要把生孩子當作投資報酬來看的話，我覺得這是一本萬利的投資，因為還有什麼比得上下班後，孩子在巷口引頸長盼，一看到你下公車，立刻飛奔來抱著你的大腿撒嬌說：「媽媽你到哪裡去了？」我想縱是中了樂透大獎，也抵不上那時心中的快樂。只不過要維持親子關係，父母就必須跟著孩子同步成長，因為時代在改變，很多觀念也要隨著改變，才不會阻礙孩子的前途。

養孩子時不可抱著「養兒防老」之心，這樣父母就不會因為哪個行業比較好賺錢而強迫孩子進入那個行業，而是順著孩子的心性去發展，行行出狀元，不一定博士才能養家，就像這位同事的孩子年紀輕輕已是相當有名的陶藝家，作品還曾到國外參展，但是他的成長不是沒有挫折，因為他數學和英文都不好，常被老師打，回家後，母親一邊替他按摩瘀青，一邊掉眼淚地跟他說：「媽知道你以後一定會成名，熬過國中，媽讓你念你喜歡的科目。」但他的同學就沒有他幸運，功課不好時在學校裡被老師打，回家被父母打，天天打罵，功課不但沒有好起來，反而決定不再升學了。昨天去一個國中演講，又看到學生挨打，而且打人的老師是年輕老師，我心中非常的痛，怎麼這麼快就忘記當年被打的痛和羞辱了？為什麼熬出頭做了老師，還是這樣對待下一代？

從這張喜帖上，我看到細心灌溉的園丁一定有豐收的喜悅，菜園不一定要種每個人都種的菜，如果你的土質不適合種搶手的蔬菜，換一種吧！物以稀為貴，少見的蔬菜價格可能更高，而一窩蜂搶種流行的菜，收成時價格可能就暴跌而血本無歸了。最主要是土壤一定要適合所種的菜，菜才會長得好。既然人只能有一個人生，何不讓孩子快快樂樂的去走他的路？對農夫來說，長得好的冷門蔬菜比那些施太多肥而淹死的流行菜意義更大，因為它才能換來農夫的衣食無缺！

20 給孩子一個表現的機會

過年，我去美國陪母親守歲，看到了美國小學如何推動閱讀。

我到的那個週末，我妹妹女兒的學校有「閱讀之夜」的活動，孩子在吃過晚飯後，要抱著睡袋去學校過夜，有二個媽媽要去當監護人，我妹妹是其中之一。我很好奇的跟去看，發現他們是每月的第一個週末，孩子挑自己喜歡的書在「閱讀之夜」念給同學聽，他們念的時候是採取戲劇的方式，有抑揚頓挫外加表情，有時老師會叫他們把故事改編成話劇，也就是說，不拘什麼形式，只要把這本書的精髓介紹給同學，讓他們跟介紹者一樣喜愛這本書。

當天，我的外甥女挑的是《天方夜譚》，她老早就纏著我妹妹要買頭紗遮面，又把我妹妹的睡褲褲腳用橡皮筋束起來當燈籠褲。所有道具服裝都是外甥女他們自己做，維妙維肖，我才發現天下果然沒有什麼東西叫垃圾，我們不要的東西在別人眼裡都是寶貝，釦子、彈珠變成了金銀珠寶，中國尖嘴茶壺變成了神燈，孩子在扮戲時充分的發揮了想像力。我也很驚訝這些半大不小的孩子可以安靜的聽別人念故事，不會爬起來走動或打斷別人的話。

外甥女表演完後，我便開車先載母親回家休息，我妹妹在孩子們睡著後回來，因為別人知道她家有客，叫她可以先走，這時她才有時間泡茶跟我談他們在學校推動閱讀的事。

我們都知道說話是個本能，閱讀是個習慣，因為文字的發明才五千年，不可能登錄在我們的基因上，因此，習慣就得從小培養，所以他們學校很注重閱讀，想盡各種方式來培養閱讀的習慣。這一代的孩子都不喜歡看書，一有空便是打電腦、玩電玩或上網聊天，要把孩子從這些地方吸引過來，這個閱讀活動必須很有趣才能跟電玩分庭抗禮，因此他們家長會的愛心媽媽跟老師們商量了很久，最後想出這個「閱讀之夜」的方法。一開始，他們還用披薩來吸引孩子參加，後來孩子對它發生興趣，期待每月的第一個週末來臨時，他們便把披薩取消，而孩子每天都閱讀書本以尋找可以介紹的新書。這個活動把閱讀、寫作、戲劇、舞蹈和音樂都串了起來，讓孩子在看書時，腦海中常浮出圖像想著要怎樣把這一段表現給別人看，而雖然他們才五年級，表演卻是有聲有色。我常想，孩子其實是有能力的，是我們父母不敢放手，什麼都要替他們做，埋沒了他們的創意。

回到台灣是初五，學校開學前一天，我看到我朋友個個雞飛狗跳，大人罵、小孩哭的在替他們的孩子做寒假作業，我不懂，既然要罵又何必替他做呢？為何不讓他自己做？我想起有個留英的朋友說，英國人讓小學一年級的孩子端湯，她看了忍不住要上前幫忙，老師一把把她拉住說：「給他一個表現的機會。」結果孩子果然一路端到位子上沒有打翻，她說那天她很自責，因為她從來沒有給她孩子一個表現的機會，媽媽什麼都做得好好的，孩子也就覺得自己一無是處了。

或許我們也可以多給孩子一點表現的機會，在鼓勵他閱讀時，同時發掘他其他的多元智慧。

21 港口，不是造船的目的

最近喝春酒，席間聽到很多人在談師大研究生在奇萊山上做研究，遇到大雪，該不該救他下山的事。大家七嘴八舌，有從父母的觀點，有從社會成本的觀點，所有的人都覺得應該要強制他下山，就是沒有人從當事人的觀點問他願不願意下山，我覺得研究生的年齡和閱歷都達到了法定成年人的標準，應該可以為自己的行為負責，他如果沒有開口，我們旁人不應該「為了他好」而強制他下山。歷史上有多少遺憾事都是因「為了他好」而發生，為什麼我們不能尊重當事人的選擇？很多小孩子等不及長大就是因為未成年時處處要聽大人的，而大人看事情的角度與孩子不同，常讓孩子覺得是「被迫」去做，心不甘情不願時，做出來的成績不好，又要被父母責罵，徒增親子間的摩擦。

其實真的要為孩子好，就要放手讓他去做，自己在後面做後援會，即便他失敗了，這個教訓也會讓他終身不忘，他的一生會比那些從不曾犯過的人要有意義。從動物上來說，被人飼養的豬牛羊牠們的腦都比原野上的同類要小三分之一，這是因為不需要為自己的生存求競爭，一切都有人在照應，腦就變小了。一九七三年得諾貝爾醫學獎的羅倫茲（Konrad Lorenze）就很不喜歡被人豢養的動物，認為牠們貪婪、愚蠢、過度交配，他曾對一隻把他銘記成媽媽的莫斯科鴨大叫說：「走開，你這個又肥又蠢的廢物。」因為被人豢養的動物長肉長肥（這是主人所欲），個性溫和（必須討好主人，不然主人不給飯吃），且又呆又笨（每天日子一成不變，沒有挑戰，腦筋就遲鈍了）。

我們常把現在的孩子叫做草莓族、飼料雞，但是想想可能不是他們的錯，是我們不肯放手讓他們去冒險、去成長。其實人生何處無危險？閉門家中坐都會有飛機撞進來，因此比較好的方式應該是教孩子如何應付危險，而不是逃避危險。父母應該要花時間分析每一件事危險的地方在哪裡，它的後果可能是什麼，孩子其實都不笨，知道了後果都能順應情境去避免，最怕的是無知，不知道自己行為的後果可能帶來什麼災難。我們不可能跟在孩子後面一輩子，只有教會他才是真正為他好。

以前加州大學有位學生的論文做的是撒哈拉沙漠中的地鼠，他在收集論文資料時，曾在撒哈拉沙漠住兩年，每天吃鮪魚罐頭與花生醬三明治，連聖誕節都不能回家，因為動物不過節。我第一次見到他時就覺得他與眾不同，眼睛機靈，回答簡單扼要，臉上充滿自信，問他苦不苦時，他說一點也不苦，因為他對自己的研究有興趣，正是孔子說的「人不堪其苦，回也不改其樂」，我認為能夠到達這個境界的人是有福的，作父母的應該感到很高興，自己孩子找到他的興趣和理想。

為人父母者都會擔憂孩子的安全，但是應該教他如何避免危險，而不是把他拴在身邊；沒錯，停在港口的船是最安全的，但那不是造船的目的。

22 身教的無窮力量

中午與學生一起吃便當時，注意到有個學生先把便當中的雞腿撥到一邊，等別的菜都吃完後才吃。我很好奇，問他為什麼，不怕等一下吃不下雞腿嗎？他想了想說：「我也不知道，我爸都是這樣吃的。」我知道這是為什麼。

在我們成長的年代，台灣物質並不豐裕，能夠讓孩子吃飽的家庭不多，大部分人只能吃八分飽，所以人口眾多的家庭或住宿的同學都會先吃好的，因為等一下好菜就沒有了，比較有安全感的孩子才會留下好的慢慢享受；在當時，沒有吃不下的問題，老人家總是教孩子先吃苦，後吃甜，要苦盡甘來。後來社會富裕了，孩子生得少，小公主、小王子對吃飯挑三揀四，父母要「勸食」，上述留到最後慢慢享用的現象就消失了。想不到在這「新生代」的孩子身上還看到，這顯然是身教的關係，孩子平日看他爸爸吃飯的樣子，不知不覺學來的。

我很感嘆大家都忽略身教的重要性。很多父母教育孩子的方式是說一套，做一套，有一個孩子對我說：「我爸叫我不能做的事，他自己都在做。」所以這種管教無法讓孩子心服，心不服，口就會頂撞，親子的衝突就發生了。模仿是最原始的學習狀態，日本獼猴會把蕃薯放到水裡洗去泥沙再吃，別的地方的獼猴並不會，因為沒人做給牠看，而如果有一隻獼猴這樣做了，別的猴子就會跟進。中國有句成語說「東施效顰」，笑人家不自量力，畫虎不成反類犬，其實東施效顰在動物行為上是很自然的，假如西子捧心大家都去讚嘆她，東施當然認為我這樣做別人也應該會讚美我，只是因為她長得不美，所以同樣行為做出來就不討喜了。

模仿的學習方式在心理學上屬於內隱的學習，神經儲存的方式與地點都與外顯的學習不同，這是為什麼中國人說「江山易改，本性難移」的道理，很多習慣是根深蒂固的，即使病人得了失憶症，把外顯記憶都喪失了，但它還保留著。因此，如果我們希望孩子以後對我們孝順，我們自己就必須孝順父母，這種身教的力量是言教所無法取代的。了解到這一點，父母除了自己以身作則外，孩子在家時要儘量少開電視，不要讓議員質詢校長等窮兇惡極的鏡頭一再烙印在孩子腦海中，讓他以為對人說話可以這種態度，更不要讓他以為質詢無效就可以動手打人。從研究發現，我們知道長期看到殘忍圖像會對血腥畫面失去敏感度，對別人的痛苦變得無動於衷，而電視公司辯說他們節目低俗是應觀眾要求，為了討好觀眾，而觀眾看了這些低俗節目使他們舉止更低俗，這是惡性循環，因此最好的方式就是不要看。孩子生下來是張白紙，他的很多行為是我們在不知不覺中教給他的，如果孩子虛榮、崇尚名牌，不妨先檢討一下自己平日跟朋友談話時是否三句不離名牌？

如果我們不要孩子學電視「偶像」染頭髮、穿鼻洞、罵粗話，或是學政治人物說謊、打架、劈腿，就請你關掉電視，陪著孩子讀書，打開他的眼界，提升他的境界，在你還能影響他的時候，引導他成為一個正直的人。

23 家是靈魂的歸處

有一天我坐計程車去松山機場，司機是個非常年輕的孩子，很熟練的在早上上班的車陣中穿梭，剎車踩得輕巧，令人感受不到。我忍不住誇獎他，他靦腆的回頭笑一下說：「不瞞您說，我以前是玩保時捷的！」我「哦」一聲，二十年的國外生活使我不敢追問別人的隱私，他倒是看出來了，自己說：「逃家的，現在正在找回家的路！」到了機場，我給他二百元，叫他不要找，他說：「謝了，衣錦才能還鄉。」這幾個字深深刺進我心裡。

在異鄉，多少個寒冷的雪夜，別人都躲進溫暖的被窩中了，只有我們留學生還在圖書館苦讀，因為「衣錦才能還鄉」！但是真的是這樣嗎？自己做了父母才發現，雖然心裡希望孩子成材，但是有孩子在膝下承歡，遠比一張冷冰冰的文憑好，尤其越老越是希望有孩子在身邊，也明瞭當年那種想法是虛榮心作祟，親子的溝通不良，使孩子誤以為沒有念出頭就無顏見江東父老，不敢回家。我以前也有這種想法，家書都是報喜不報憂。所以許多留學生都是早早的結了婚，找個伴來相濡以沫，因為每個人都需要個家。

中國留學生都將「房子」（house）和「家」（home）混著用，這兩個字在物質層面上雖然相同，在心理層面上卻大不同；房子是遮風避雨的地方，家卻是靈魂的歸處，如果真的要了解一個人，就去他家看一看，這比交往多少年還有用。人格的成長最重要的就是小時候的家庭教育。自己年紀大後，發現天下最不幸的人是有家歸不得的人，而不是衣食不周者。家原是隔絕外界風暴最安全的地方，但如果家不幸正是風暴所在，那麼這個孩子就變成天下最可憐的人。

我去美國念書時，正值越戰打得最兇的時候，學生反戰、反威權、反傳統，開始有男女同住一層樓（co-ed），開放式婚姻等等，有位老師很不贊成開放式婚姻，他一直認為一個人如果回到家不能放鬆，要應付你的、我的、我們的孩子各種糾纏不清的人際關係時，這個家庭的氣氛肯定不會融洽，孩子便會往外逃。他說，天理是公平的，孩子小的時候多花時間念書給他聽，陪他玩，教他做人的道理，長大後就不必花太多時間管他，這就像種樹一樣，樹小的時候最重要，不能長歪，長大後只算颱風來時，加個支撐就夠了。但是如果小的時候沒有照顧好，長歪了，長大要矯正就得用鐵絲綁，而且綁太緊樹枝會折斷，非得一點一點的扶正才可以，所花的心力比小時候多十倍還不見得有效果。

今天碰到這個逃家的孩子，猛然想起老師的話，即使過了三十年，他還是對的。孩子小的時候自己忙著賺錢的朋友，現在都在用當時賺的錢討好他的小孩。其實親子溝通並沒有那麼難，只要帶著他一起過日子，將來兩個人就會有共同的回憶，就有共同的話題。

回家的路其實不必找，只要放下面子，它就會浮現出來了。

第2篇

多元學習，找自己的路

1 不是好手也能玩曲棍球！

最近《天下》雜誌有一篇關於義大利的報導，很值得我們警惕。義大利過去曾經稱霸服飾業，美國政商名媛、電影明星都穿義大利的衣服，但是最近他們無限自豪的高級服飾與精品訂單已全被中國搶走，有一家著名的服飾商人說，當美國人跟他說中國願意以一半的價錢成交時，他還不知道厲害，大剌剌地說：「我們做不到，你要，去向他們訂吧。」想不到訂單從此一去不回頭。這篇報導使我想起了我們自己，我們也面臨同樣的問題，當別人報的價比我們進的原料還低時，我們怎麼還有競爭力呢？

幸好，今年農曆年前，報紙報導圖書館湧進大批人潮借書，有人還帶著有輪子的行李箱去搬書，因為今年年假特別長，很多父母不知道該如何打發時間。過去，很多人出國旅遊，但是東南亞海嘯剛過，許多人不敢去，歐美又都在冰天雪地的季節，因此就選擇去圖書館借書，在家煨棉被，看小說，親子共讀。這真是好現象，帶給台灣一線希望，因為教育是社會轉型唯一的方式，而教育的根本在閱讀。目前世界上就有一個成功的例子可以當我們的借鏡。

芬蘭是北歐的小國，近北極圈，各方面條件都不及它的鄰居挪威和瑞典，但是它最近卻一直受到國際的矚目，因為她的經濟力茁壯成長，從農、林業國一躍而成資訊科技大國，手機最紅的 NOKIA 就是芬蘭製造的。芬蘭的轉型成功主要是他們看到了教育的重要性，肯大量投資在教育上。

歐洲的生活程度高，工資也高，芬蘭看到自己不可能在成本上拚過生活程度低的亞洲國家，所以唯一的方式就是從創造發明上著手，開創新產品，再將設計圖拿去低成本的國家代工，別的國家生活程度越低，工資越少，他們利潤的差額（margin）就越高。因為教育可以開拓人的視野，有視野才有創新，芬蘭在長期投入教育資本後，果然在經濟上保持了優勢。

另外，他們也看到要提升國家競爭力，並非是只把大學辦好就可以達到，它必須要提升全民的教育程度，因此芬蘭孩子從七歲入學後一直到大學畢業，國家一肩挑起所有費用，他們認為人的腦力是最珍貴的國家資產，國家花有限的書本費、設備費，換來的卻是無窮盡的創造力，而創造力帶給國家競爭力，尤其教育穩定時，中輟生便會減少，相對的也減少了社會成本，這個減少的社會成本又可以轉投資到教育上，使國家可以負擔全民的教育費用。他們的學制是真正的九年一貫，沒有小學、國中、高中的差別，進到學校後，同學一當便是九年，可以培養深厚的友誼，到了十六歲孩子成熟了，才依性向分高中或高職。這樣在十六歲以前每個人的待遇都是相同的，沒有後段班、放牛班。芬蘭的教育部長說的好：「每個人都是國家的國民，每個人都可以來玩冰上曲棍球，不一定只有好手才可以玩。」這句話讓我看了心有戚戚焉。我們有多少孩子被拒在門外，只因為他比較晚開竅。

看到芬蘭成功的例子，我們要想提高國家競爭力，就必須走同樣高創新、高技術的路，以提升教育來達到這個目的。看到這次我們的父母願意在新年時待在家裡看書，給孩子做好榜樣，我們還是有希望的。這一年應該是一個不一樣的好年。

2 自信的文化力量

過年時，一個以前教過的學生來拜年，送我一個精緻的皮雕「老人與狗」：一個臉上有刺青的老人帶著一條狗，狩獵歸來。老人的神采風韻捕捉得非常好，我讚不絕口，他幽幽的說這原是做了要送給他爸爸的，他不要，說是賣給觀光客的紀念品不是藝術品。我心頭一震，覺得這句話好耳熟，卻一時想不起來在哪裡聽到，等他走後，我才突然想到這是電影《鯨騎士》中酋長對他兒子說的話，我急忙追到公車站，但他已走了。我原是要請他去看這部電影的，因為這是多年來我所看過最感人的電影，意義深遠，尤其對文化的傳承上更是"a picture worth thousand words"。

文化是凝聚一個團體的力量，沒有文化認同就不會有民族驕傲，沒有民族驕傲就會抬不起頭來，覺得自己是次等公民，而一個次等公民是不會快樂的，因為他達不到一等公民的成就，這不是他先天不行，而是他後天替自己設限了。

在《鯨騎士》中的小女孩是紐西蘭毛利族酋長的孫女，也是老酋長計畫中的接班人。但她性別生錯了，是女生，所以酋長雖然很疼愛她，卻覺得不可以違背傳統而將位子傳給她，只好把族中每戶的長子找來教毛利人的傳統文化，從中挑選一個新酋長；但這女孩不覺得自己有不如人的地方，所以便在窗外偷學。

在片中，我們可以看到老人對傳統的執著，文化是祖先傳下來維繫他們團結、抵禦外侮的一個無形力量，他們是「騎鯨人」，從遠方騎著鯨到這裡來的人，酋長身上掛著鯨的牙，他說：「你要它，得從鯨的嘴裡去掏。」勇敢是所有民族都推崇的一項人格特質，老人苦口婆心的教毛利勇士舞的意義，但是年輕人嘻嘻哈哈不當一回事，因為感受不到身為毛利人的驕傲，所以不會好好學；同樣的道理，今天我們要保存原住民的母語和文化，就必須要先讓他們覺得身為原住民的驕傲，有了動機，學起來才會快。

我想起一九七〇年代逃到美國來的一位俄國神經心理學家高伯格，他說身為猶太人，在俄國受到無形的歧視，想要離開，但插翅難飛，鐵幕包得很嚴，想不到美國總統尼克森因受到國內猶太人團體的壓力（猶太人有錢，掌控著美國的經濟命脈），命國務卿季辛吉去跟俄國交涉，讓一批俄國的猶太人得以移民到以色列去，結果一夕之間，猶太人身價百倍，大家恨不得能身為猶太人。所以，要提升少數民族的地位，政府還是很重要，民間做一百件都抵不上政府一個政策的改變。

在《鯨騎士》片中，我看到毛利人的無奈，每天喝酒、打撞球，但是一旦找到了生命的目標，酒瓶一丟，振奮起來，片尾那條獨木舟真是好看，充滿了民族的風味與驕傲，只有跳得出那種勇士舞的人才刻得出那樣的獨木舟。我們的祖先不也這樣，一葉扁舟的去到了世界各地嗎？當我看到澳洲達爾文港一棵三百多年的老榕樹倒下，根部露出我們中國人的土地公時，我的感覺跟片中人一模一樣。

生物多樣性增加了物種生存的機率，文化的多樣性也一樣增加人類生存的機率，它同時還豐富了我們的心靈，讓我們知道我們從何而來，對自己感到驕傲；只有自信的人才會抬頭挺胸跟別人一起平起平坐，才會去爭取更多的平等。我真希望我能請所有原住民的孩子去看這部電影！

3「英語短劇比賽」的反思

這次全國國高中英語短劇比賽，南投縣信義鄉原住民的同富國中從八十九名競爭學校中脫穎而出，拿到冠軍，令許多人跌破眼鏡，因為它是這個比賽開辦四年來唯一入圍的非都會區學校，也是第一所原住民國中。校長說這次得獎帶給原住民很大的信心，他們發現自己並沒有比別人笨，只要有人指導，一樣可以得獎。我聽了很高興，但是這個消息也帶給我很大的省思。

我們的教育常無法讓孩子的天賦充分發展。原住民的歌聲嘹亮動人，音色極美，但是沒有一個專任的音樂老師（更不要說音樂學院）來培養他們的音樂天才。他們的韻律感極好，但是也沒有一些相關的舞蹈戲劇課程來啟發這些天賦，使這些能力得以更上層樓的發展。這真是非常的可惜，不只是國家失去了一流的藝術人才，這種平頭式教育的方式，還打壓了孩子的自信。

有位原住民校長告訴我，他是部落中第一個考進師專的人，有一次他坐客運回家，在擁擠的車上偶然抬頭，看到整排拉著吊環的手只有他的是咖啡色的，其餘都是淺色，他立刻把手抽回，放進褲袋，兩腳叉開，努力用身體來平衡車子的搖動，就是不願再顯示跟別人不一樣膚色的手。他說他的自信心一直到去當兵，在軍隊中要唱軍歌時，才又找回來，因為他突然發現他有一個長處——歌聲嘹亮，而連長的器重使他慢慢覺得自己不比別人差。找回自信心後，他才能夠抬頭挺胸，兩眼直視對方，因此一路從老師、主任，考到了校長的資格。

我聽了他的故事很感動，也很難過，不知道我們的教育是錯在哪裡，為什麼幾乎所有的孩子都沒有自信心？我自己是出了國，到美國念博士時，才發覺自己並沒有比美國人笨，而我的求學歷程在台灣應該算是一帆風順。我們的教育一直沒有讓孩子看到他自己的長處在哪裡，如果沒有一個被同儕肯定的長處，自信心怎麼出得來呢？

我想起前些日子我去部落演講，推廣閱讀，校長說他沒有錢付我車馬費，但是他可以請小朋友唱歌給我聽，慰勞我，我欣然答應。四十位四、五、六年級的小朋友一開始站上台時，表情都很羞澀，舉止很靦腆，但是在校長起個音（部落沒有伴奏）後，他們開始唱，那真是天籟，使我想起白居易〈琵琶行〉的「如聽仙樂耳暫明」，最主要的是孩子臉上的表情開始放鬆，開始微笑，身體開始自然的隨著韻律擺動，當他們唱到祭祀的歌時，臉上表情轉成豪邁、勇猛，完全陶醉在歌聲中。唱的人如痴如醉，聽的人也如痴如醉，聽完，我非常的感慨，音樂是原住民最拿手的地方，我們卻沒有從這裡著手把他們的自信心帶上來，反而一再強調他們因城鄉差距而佔不利地位的國、英、算。這次的英語短劇比賽冠軍，對他們真是最好的鼓勵，對我們也是很好的反思。

偏遠地區需要的是有愛心的老師，把這些純樸善良的孩子帶上來。因此請給他們音樂老師、戲劇老師，請啟發他們天賦的才能，帶出他們的自信心。

4 一雙鞋所帶來的省思

今年暑假，有一群原住民孩子來台北城鄉交流，我去幫忙，看見有一個孩子沒有把鞋子穿好，用踩的，我便叫他穿好，他很誠實的回答：「穿不進去，太小了。」我問他為什麼會穿一雙太小的鞋子下山？他說校長規定沒有鞋子不准下山，他沒有鞋便去借一雙，借來的鞋子難免不合腳，所以只能將就著穿。我很驚訝在這麼有錢的台灣竟然還有孩子沒有鞋子穿，便開始注意其他孩子的腳，果然又看到一個孩子個子小，卻穿了一雙大鞋，跟身材不配，鞋子一邊走一邊掉，把他叫來一問，果然也是借來的，便叫他們兩人交換鞋子，他們很高興的跑開後，我卻很難過。

一個沒有錢買鞋子的人家，大概也不會有錢讓孩子買參考書、上補習班，而最近基本學力測驗的雙峰，則已經反映出這個貧富拉大的社會現象，越有錢的人越能上補習班，就越能考上國立的學校，而越沒有錢的人越不可能上補習班，就越沒有機會考上公立學校，而私立學校學費貴，家裡負擔不起，最後只好輟學，這是相當嚴重的社會不公。

有一位國中校長跟我說，他國中畢業時，本想去考雄中，但是英文不好，考慮再三，只好去念師範。他雖然很用功的念英文，但是教他英文的是位體育老師，只會講"Yes, I do."和"No, I don't."兩句，所以三年下來他也只會這兩句。雖然是開玩笑，但我可以體會到他心中的不平。一樣是中華民國的國民，一樣努力讀書，但是人家的老師是本科系畢業的，他的卻是體育系的。這種情形在考試範圍變大變活了以後，對資源貧乏的孩子來說，就是機會的不公平。

原住民的孩子有他特殊的天分，他們體育好，卻沒有球具或球場，紅葉隊用竹竿石頭打出冠軍，有人沾沾自喜地去搶功，我卻覺得是我們大人之恥，沒有好好照顧到他們。他們韻律很好，卻沒有音樂老師或舞蹈老師去啟發他們的天賦，我們以我們的標準、價值觀來評量他們，覺得他們比較差，就好像當年西方人認為新幾內亞的土著是低等民族一樣，因為用白人的智力測驗給他們做，他們都不會，而忘記了智慧的定義是在新環境中適應新情境的能力，如果讓西方人到新幾內亞叢林去住，恐怕一天也活不下來。

政府曾經在蘭嶼替原住民蓋水泥洋房，結果水泥吸熱，房子像火爐般不可住人，原住民只好拿來堆東西，自己仍然住到四面通風的草屋裡。這種以我們的標準去替他們打造一個天堂，然後要他們感謝的心態是要不得的，我們應該盡力去捍衛他們原有的生活方式，協助他們去打造他們理想的天堂，就像政府應該管制濫墾，禁止越野車的山林競賽，而不是封山，封掉他們的生路。政府應該要開路、建橋，因為山地人也有下山的權力，不可因別人做壞事便犧牲他們，對於不法之事，政府應該拿出魄力來管制。

用封山、斷橋限制原住民的人身自由是違憲的事，金門、澎湖等離島的人都有同樣的痛，就是政府只有在選舉時才會想到他們。難道這些孩子的前途，在政府的眼裡，就只有一張選票的價值嗎？

5 看見台灣之美的義工生活

暑假一開始時，有個學生來找我，因為很多同學都參加了遊學團去國外學英文，她也想去，但是昂貴的團費使她不敢向家裡開口，她知道如果開了口，父母一定會想辦法讓她去，她不忍心看年邁的父母加班籌錢，所以來問我的意見。我覺得遊學是很好，暑假去外面走一走，見見世面，學些風土人情也不錯，但是要說學英文，那倒未必，因為英文要學得好，重點在用辭遣字，短短幾週的遊學是無法達到這個目標的，何況遊學團都是中國人，大家碰在一起還是說中文，不見得練習了多少英文。我勸她不如去做義工，體驗一下不同的生活方式，早一點定下自己的人生目標。

前幾天她又來找我，告訴我她果然去做了義工，到山地服務。她說她得到的比付出的多很多，使她回家後還會去想那些懂得分享喜悅、不貪心、純樸的山地小孩。她說有個孩子鞋子破得很厲害，成了開口笑，她就悄悄帶她去買一雙新的，當時正巧碰到大減價，第二雙半價，她要買二雙給這個孩子，但這孩子不要，說她一雙就夠了，一點也不貪心，使她很驚訝。她的話使我想起我孩子小時候曾看過的《少年小樹之歌》（*The Education of Little Tree*，中譯本小知堂出版）：一位名叫小樹的印地安小孩，跟他祖父一起在山裡長大，感恩節時，祖父帶他去獵火雞，陷阱中有六隻火雞，祖父只取兩隻，把其餘的四隻給放了。祖父告訴他，如果只取所需，以後就一直會有火雞吃，如果一次趕盡殺絕，全部取光，那麼當冰凍的火雞吃完後就沒有火雞可吃了。這種不貪的純樸在現在的社會已經很少見了。

她告訴我，山上的孩子在物質上可能不富有，但是他們的心靈比平地孩子要豐富許多，她從他們閃亮的眼睛可以看到他們對簡單營隊生活的滿足，與學習到新經驗的快樂；他們彼此分享，不爭名次，互相幫助。有一個孩子他的鞋子比腳要大很多，因此走路時常一不小心，鞋子與腳便會分家，腳向前，鞋子卻留在原地；而她注意到，有個大一點的孩子總是在他旁邊，扶他一把，免得他摔跤。後來她才知道校長規定孩子要下山的第一個條件便是「穿鞋」，認為鞋子是文明的象徵，但是在山地鄉孩子平常都是打赤腳（他們戲稱穿的是「真皮」的鞋，所以在比賽賽跑時，一定把鞋子脫掉光腳才跑得快，就像以前肯亞的奧運馬拉松金牌得主也是光腳跑），然而沒有鞋子不准下山，因此孩子們都去借。借來的鞋難免會不合腳，但是到了平地他們並沒有把不合宜的鞋子脫掉

（反正已經達到下山的目的），而是一直穿在腳上，遵守校長的話。她的話讓我反思：穿鞋有比較文明嗎？學生說她更愛學生打赤腳時的自信。

聽了這些話我很感動。天真純樸，樂天知命，與世無爭，這不是我們所希望的桃花源嗎？為什麼我們老是以自己的價值觀去評量他們，歧視他們（報載一位不孕婦女要購買卵子，當對方已打了排卵針，她突然發現捐贈者是位原住民時，便立刻喊卡）。

這個學生告訴我，沒有接觸前，她也難免會有一些不合理的偏見，但是接觸後，她才知道那些偏見是多麼的不對。她說自己以後還要再去山上服務，今年暑假的經驗讓她看到我們對原住民的幫助不應該只是物質上的救濟，應該致力於大環境的改善，從尊重原住民文化做起，真正落實社會的正義與平等。我很高興她看到了這一點，而她所獲得的果然遠超過出國遊學，她這個暑假沒有白過。

6 真實的快樂與滿足

我帶學生去山地服務，下山時，跟一位新加入的同學聊天，問她為什麼會參加，她說她的室友說做好事比做可以帶來快樂的事更快樂，她不信，所以上山來體驗一下。我很好奇這一代年輕人心目中哪些事可以帶來快樂，她毫不猶疑地說出一大串：哈啦、血拼、看電影、逛夜市……。那麼，做好事呢？她遲疑了一下，然後說：「有意義的事。」我微笑了，這孩子看到了重點。

她說今天上山來服務原是抱著郊遊的心情，為了怕中午的飯菜不好，她背包裡還放了一些乾糧，但是她開始教一個孩子英文，別的孩子都圍過來，很熱切的希望學，嘴巴張得大大的跟著她念，她突然覺得自己很有用，過去求學的挫折完全一掃而空。學生學得很起勁，她教得更起勁，不知不覺就到了中午。營養午餐是二菜一湯，她吃了二碗，完全忘記背包中的私房菜。下午她替國中組補數學，發現自己還會二元一次方程式，覺得很有成就感。下山時，她把背包中所有可以吃的都掏出來給小朋友，雖然背包很空，心卻覺得很滿。她也給我看小朋友為她畫的素描，每一張都是上揚的嘴角，她好久沒有這樣一直笑了。

她說她的室友是對的，她以前覺得只有消費才會快樂，但她今天一毛錢都沒有花也很快樂。她以前曾經參加過一些自我成長的工作坊，發現一直強調接觸自己內在感覺反而使自己變成自戀的水仙花，每天只關心自我感覺如何。今天她換了一個角度去想別人的感覺如何時，她覺得比較快樂。她下次會把買不必要東西、說不必要話的時間節省來山地服務。

她看到的其實就是我們一直想告訴學生的：愉悅是生理的飽和，而滿足是心理的成長。現在的社會太強調個人主義，只要我喜歡，有什麼不可以，結果反而造成更多的空虛。人生有很多東西是要自己奮鬥得來才有意義，同樣是吃飯，自己賺來的就跟別人施捨的感覺完全不同。賓州大學的講座教授賽利格曼（Martin E. P. Seligman）在《真實的快樂》（*Authentic Happiness*，中譯本遠流出版）一書中講過一個故事：他的老師養了一隻稀有的亞馬遜蜥蜴當寵物，一開始時，牠不肯吃東西，不論是生菜、碎肉、水果，甚至替牠去戶外捉活的蒼蠅和昆蟲都不肯吃，眼看著就要餓死了，有一天，這位老師一邊吃午餐一邊看報紙，看完順手一扔把報紙蓋在原本替牠準備的食物上面，這隻蜥蜴一看見，立刻匍匐前進，跳上報紙，把它扯碎，一口把報紙下的食物吞下。原來蜥蜴一定要匍匐潛行，撕裂，然後才能進食，假如牠沒有這樣，就不會想吃東西，其實有很多動物都是一日不做，一日不食。人其實也是一樣，不是自己心力、勞力換來的快樂都是暫時的，心靈的飢餓是物質填不飽的。

看到現在青少年憂鬱症這麼嚴重，或許我們應該少出一點功課，多一點時間讓孩子有機會去接觸他人，替別人服務，換取心靈的糧食。

7 想像力的無限疆界

我去一個原住民的幼稚園參觀，看到小朋友在玩石頭、木塊、貝殼、樹枝這些看起來不起眼的東西，不過卻玩得不亦樂乎。我看了很感動，誰說小孩子一定要玩昂貴的機器人或洋娃娃？一個簡單的東西更能發揮他的想像力，更能訓練他的創造力，因為他的心思不會被既定的外形所框住。這塊木頭今天是火車，明天是手槍，後天到女生手中又變成了洋娃娃。外在的形式只是一個表徵，內在的意義才重要，我常覺得現在物質太豐富了，讓孩子失去想像的樂趣，就像有了電視以後，孩子失去了做白日夢的快樂，而其實再精緻的玩具，都比不上自己的想像力。

我小時候看《天方夜譚》對阿里巴巴四十大盜的故事非常著迷：叫聲芝麻開門，石洞就會豁然打開，裡面堆滿了金銀珠寶，閃閃發光；這對念小學的我來說，真的是天方夜譚，充滿了無窮的想像。後來看了《基督山恩仇記》，更是對紅衣主教的山洞憧憬無限，常常遐想，非常的愉快。看《西遊記》時，九華莊的妖怪把唐僧捉去了，土地公告訴孫悟空看到九棵柳樹時，向東轉三圈，向西轉三圈，雙手合掌向樹上一拍，洞門就會打開，這一段也讓我一看再看，神遊不已。這種想像的快樂，今日的孩子很少能領會得了。

這種無形勝有形的意念境界，中國的戲劇更是發揮到了最高頂點。對我來說，京戲的好看就在它沒有佈景，全憑想像。我第一次看《拾玉鐲》時，就為京戲的簡單所迷：兩人就站在台上說話，但是一個在牆裡，一個在牆外，中間隔了一道看不見的透明牆，表情做工細膩，讓你真的感受到一堵無情的牆阻斷兩個相思人。台上明明是空無一物，但是他唱說：「這金碧輝煌……」你就想像阿房宮；他唱說：「這青苔綠瓦堆……」你就想像廢井斷垣。尤其是《打漁殺家》，台上只有兩個人，一前一後，但是前面人蹲下去，後面人站起來，他們身段使你馬上看到一葉扁舟在水上盪漾，父女兩人打漁為生，讓你感受到漁家苦樂，家貧哪怕人笑咱的豪氣。所以想像力其實是孩子最可貴的資產，只要給他一點自由的時間，不要約束他，他就能在自己的天地中快活似神仙。

我想到樓下鄰居的孩子不肯去上他媽媽替他報名的昂貴幼稚園時，我問他為什麼，他說不出來，只是一直哭叫不要去。他母親氣急敗壞的說，為什麼不要去？有大鳥、愛麗思陪你玩啊，今天還有畫畫，還有圍棋，還有……，我聽了就明白了，孩子不是去遊戲，他是去上課，課程排得滿滿的，每一分鐘做什麼都安排好了，老師規定要做什麼就做什麼，難怪他不要去。孩子就是要像《湯姆歷險記》那樣玩才是童年，他長大才有一絲有顏色的回憶，不然他的童年是灰色的。

暑假快到了，請給孩子一些做白日夢的想像空間吧！尤其重要的是，假如他能從石頭、木塊、樹枝中得到很多快樂時，何必去加班賺錢給他買機器人或洋娃娃呢？放自己一天假，回家陪陪孩子吧！相信你跟他都會活得更快樂。

8 何「樂」而不為？

在計程車上聽到某個小學的合唱團上電台接受訪問，並現場演唱幾首得獎的歌，因為唱得很好，我便央求司機不要轉台。唱完之後，主持人便問，你們練唱會不會耽誤功課？父母親同意嗎？領隊的老師急忙說：「我們都是下了課、放了學或是週六才練，沒有耽誤到功課。」但是主持人好像不相信，又再追問：「真的沒有嗎？你們父母親同意嗎？」他甚至問個別團員以求證沒有耽誤到功課。我看他浪費可以唱好聽歌的寶貴時間去問這種問題，不禁感嘆難怪教改不成功，連電台主持人都認為音樂不重要，應該以功課為重，一般的父母就更不用說了。

其實對孩子的心智成長來說，音樂比課本更重要，因為它直接觸及靈魂深處，可以陶冶性情。一個愛音樂的孩子是快樂的，重複、有規律的旋律會活化大腦的快樂中心，我們唱歌時不是常會不由自主地微笑起來嗎？一個有甜美歌喉的人是上天的寵兒，因為他擁有一個可隨身攜帶的最好的自娛娛人的樂器，而孩子的歌聲更是天籟。

美國曾有一位音樂老師在聖誕節前二週出車禍，昏迷不醒，無法帶領孩子去參加聖誕節的聖歌比賽。但是學生們並沒有放棄，他們自動自發的練習，在沒有老師的指揮下拿到了第一名，他們把這第一名的錄音帶放給昏迷的老師聽，奇蹟的讓老師醒了過來。老師說，她在白茫茫大霧中不知往哪裡走，心煩意亂時，突然聽到天使的歌聲，她順著歌聲的方向走去，結果就醒來了。這就是音樂的力量，也是正規教育應該培養的能力。

對孩子一生來說，擁有音樂素養遠比留在教室中背那些死的知識重要得多，知識永遠學不完，但音樂的素養卻可以化腐朽為神奇，給人力量，使人在困境中看到希望。電影《真善美》中，瑪麗亞說當她心情不好時，就唱自己最喜歡的歌；《國王與我》中，安娜也跟她的兒子說，當你害怕時就吹口哨，口哨是旋律，吹著吹著你就不害怕了。

從研究上來看，音樂反而更能增加孩子的學習效果，因為學音樂時，孩子學會紀律，音樂是有組織、有旋律的，它的節奏很重要，這些都幫助孩子大腦的發展。研究者分析一九九八年美國ＳＡＴ成績，發現參加合唱團和會彈奏樂器的學生，在ＳＡＴ成績上比不會任何樂器的高了五十二分；華盛頓大學的研究也發現，在做枯燥的工作時，音樂能幫忙減少錯誤，他們發現九十名校對人員在有音樂的環境下，挑出的錯字比沒有音樂時多了21.3%。因此，鼓勵孩子練唱，不但能抒解他的心情，提升大腦的活化，還可增加他學習的效應，真是何「樂」而不為？

音樂豐富我們的心靈，提升我們的境界，父母親真的不必在意每週一點點的練唱時間。在廿一世紀的現在，資訊翻新很快，孩子離開學校進入社會所要用到的知識，是現在還沒有發明的知識，父母又何必在乎那短短的一、二個小時的時間呢？

這個世界需要的是多一點音樂，少一點喧嘩；多一點樂團合作，少一點勾心鬥角，請讓音樂充滿校園，歡樂滿人間吧！

9 國文程度太差的隱憂

在廿一世紀，一個學生如果沒有快速正確的表達能力是無法跟別人競爭的。過去，我們都認為電話這麼發達，用電話溝通，「我口說我心」，一明二白，不需要會作文；寫信，那是古人的事。但是風水輪流轉，現在大家都用E-mail溝通，又回到用文字來表達自己意思的古老溝通方式了。因為電子郵件比打電話便宜，又不受各地時差、各人作息的限制，隨時想溝通便可上網，不必擔心別人正在吃飯或睡覺，所以在這個時代，如果不能快速、清楚的表達出自己的意思，真是會吃大虧。

大家只要看新加坡大力推展閱讀的理由，便可知道這項能力的重要性。李光耀先生對記者說，新加坡是小國小民，沒有自然的資源，他們國民的腦力便是國家最大的資源，假如國民不能快速的從網路上吸取資訊，了解別人訂單的規格並且正確的表達出自己的需求，那新加坡就沒有競爭的本錢。回頭想一下，我們台灣何嘗不是這樣。

教育本來就是為學生進入社會做準備，但是我們目前的教育並沒有做到這一點，新加坡現在正極力提升他們國民的華文能力，因為他們看到二十五年後華人市場將佔世界市場的一半，亞洲在世界貿易將有舉足輕重的重要性，因此提供二百萬元獎學金鼓勵學生學中文。而我們這個以華文為主的國家卻看不到華文的重要性，反而為了改卷子的公平性而取消作文，真是因噎廢食，因技術而廢目的，為執行方便而偏離目標，捨本逐末了。我想每個人都知道在電子郵件時代，不能快速有效的了解別人的意思及表達自己的意願，是無法在國際上競爭的。

台灣一向是考試領導教學，上面政策不動，下面再怎麼努力推動都沒有用，而且台灣有個錯誤的觀念，以為念理工科的就不需要國文。其實一個從事教學和研究的人，如果國文程度太差，他的成就也會有限，因為閱讀培養邏輯性，而邏輯是科學思考的根本，沒有邏輯性的思考，是不可能成為好的科學家的。更可怕的是認為國文不重要的迷思，使得現在不但學生程度低落，連老師的國文程度也高明不到哪裡去。報載，某市立師範學院語文教育系的大二學生，中文檢定竟然有94％不及格，真是駭人聽聞！而校長居然說這沒什麼不正常，校方會再修正題目，檢討題目是否過難。我真是不了解，難道學生考不好，把題目改得簡單一點就可以了嗎？

我小時候曾經聽過我父親講一個笑話，當時的教育部長是梅貽琦先生，有個監察委員對部長抱怨老師的國文程度太差，他念初二的孩子寫了錯別字「時代落五者」，結果老師把它改成「時代落武者」，隨行的劉真廳長便說「學生落伍一半（五為伍少一半），老師落伍全部」。假如老師的程度都不好，要如何去要求學生呢？所以我一直認為提升老師的水準是教育第一要務，老師必須要多看、多讀、多寫，也就是歐陽修所謂的「三多」——多看、多做、多思量，而做學問的方式其實是相通的。我們培養一個科學家也是一樣，目前台灣幾個重點研究大學也要求博士班學生，至少要有二篇國外期刊發表的論文才可以畢業。

有的人或許會說，現在是地球村、國際化的時代，學中文不如去學英文，我認為這個觀念是不對的。第二語言的學習是建立在第一語言的架構上，而且我國有這麼豐富的文化遺產，國文不好，不能欣賞古人智慧的結晶實在太可惜了。我曾遇見一位來師大學中文的印尼僑生，他的錢只夠在台灣學八個月就必須回印尼去打工，存夠了錢再來學。我問他為何來生活水準比印尼高很多倍的台灣，而不去比較便宜的大陸，他回答說他想學正楷字，因為古書都是正體字印的，他希望自己有能力享受祖先的遺產。我聽了很感動，「禮失而求諸野」，海外的華僑青年打工存錢來學國文，而我們自己的大學生連《石頭記》（《紅樓夢》的別名）是什麼都不知道，還跟我說他不是念地質學的，不需要看。

文字認同是民族團結的要素，也是保存和傳遞先人智慧的憑藉。我自己深感幸運，能生在台灣，能夠閱讀這麼多美妙的詩詞，陶冶我的性情，排遣我的心情。如何讓我們的下一代也能夠了解及欣賞中華文化之美，從而發展出使用正體漢字的自尊和自信，是我們這一代人的責任。

10 奚落可以激發上進心？

一個朋友贏了國際大獎，我去跟他道賀時，他恨恨的說：「有什麼用，來得太晚了，我父親已經過世了。」因為他的口氣是怨恨大於惋惜，使我忍不住問他為什麼，才知道他的弟弟很優秀，功課很好，他父親以前出去訪友時，都只帶弟弟而不帶他，他說自己曾許過願，願意以三年的壽命去換取坐在父親摩托車後座的滋味。這樣的話令我悚然一驚，不知有多少父母在不知不覺中傷害到孩子的內心？

很多父母會採用激將法，奚落孩子，拿其他兄弟姐妹來比較，以激發孩子的上進心，這個方法可能有效，因為我朋友後來就發憤要闖出一番天地，但是它的代價太大了，令孩子在四十年後都不能忘懷。我常想，為什麼一個好的東西都是慢慢累積才能得出效果，而壞的都是一下子就見到後果？蓋阿房宮要幾萬民力，幾十年的工夫，但是項羽一把火就燒掉了。用獎勵的方式使孩子上進，效果很慢；用打的罵的，孩子立刻改正，但是肉體的傷害可以痊癒，心靈的傷害卻跟著孩子一輩子。

我曾在飛機上看到一篇影星李察・基爾的訪問稿。他來自一個窮苦的大家庭，父親必須做二份工作才能養活他們，但是父母對待他們的態度很正確，都一視同仁，並且教他們從內心去尋找自我存在的價值，不要在意外表的虛榮。他說他從父母處得到最大的禮物便是自信，走到哪裡頭都抬得高高的，眼睛正視著對方的眼睛，他說，這個態度令他得到他想要的角色，因為導演看他這麼自信，敢發表他對某個角色該怎麼演的看法，就傾向於把這個角色給他演。

當他成名後，很多人去向他父親賀喜說：「你一定很為你的孩子感到驕傲。」他父親回答說：「哪一個？我有五個兒子，每個都很棒！你問的是哪一個？」這句話很讓我感動。在父母眼中每個孩子都不應該分厚薄彼此，但就有很多父母看不見自己孩子的長處，因為別人家的草比較綠，比來比去的結果是比掉孩子的自信心，也比掉了人生最珍貴的親子關係。這篇訪問稿最後說，如果你要你的孩子很特別，你自己必須很特別；你要是很慷慨、正直、仁慈、很有寬容心，你的孩子自然會成為一個慷慨、正直、仁慈、很有寬容心的人。

或許你的孩子的長處不是世俗的會念書、功課好，但是他這個長處必也是來自祖先的基因，何不把他當作替祖先圓夢，把祖先的才華展現出來呢？我的朋友聯考考了三次都落榜，當兵時，終於覺悟到他不應該隨波逐流去追求一個他不擅長的前途，應該「認命」的去做他擅長的事；因為擅長，所以做得好，做得好所以願意做，投下去的時間和精力多，自然收穫好。有努力必有收穫，任何人的成功都不是偶然的。只是這種激勵代價太大了，他心中的怨恨一直沒有淡去，看到這種情形，為人父母者怎能不警惕？多元的社會需要多元的人才，何必一定要孩子去鑽那個原本就不屬於他的窄門呢？

11 心，是創造的原動力

最近水費要調漲，許多學校叫苦連天，因為台灣的非人事費用預算偏低，有的學校竟然不足5%，桌子椅子壞了只能將就著用，好一點的儀器就鎖起來，怕用壞了沒錢修，這其實是一件不對的事，因為教育不但是知識教育，更重要的是生活教育，上課環境的整潔很重要，在愉悅的環境中學習效果比較好。台灣許多學校的設施都因經費不足而因陋就簡，使孩子對小學生活的回憶除了髒和窮之外好像沒有別的。其實小學教育是打基礎，底不穩，上面怎麼會好呢？在經費的分配上不應該少到連水電費都付不出來，還要家長會捐錢繳水電費。

我孩子剛回國時在嘉義鄉下的一所小學就讀，那所小學廁所是一條溝式的，一天只沖一次水，因此我的孩子早上堅決不肯喝牛奶，怕要去上可怕的廁所，如果必須要上，回家後就大哭，怪我把他帶回來受苦。我曾到學校詢問可不可以多沖幾次水，校長說總共就這麼多經費，多沖了水就沒有錢付電費。冬天天黑得早，教室又採光不足，為了孩子的眼睛，只好忍受骯髒的廁所。當時我一直在想，台灣雨水充沛，為什麼不收集雨水來沖廁所呢？

沒想到最近我去深坑國小參觀，看到他們已經用水管把屋頂的雨水接下來灌溉，這是一個喜訊。台灣多雨，這麼珍貴的自然資源不被利用真是太可惜了。仔細觀察他們的設備其實也不特別困難，很多學校應該都可以做。我在美國時遇到加州大乾旱，政府禁止人民洗車、澆草皮，我的妹夫便在廚房的排水管做個開關，當洗蔬菜水果時，一按開關，便將那些不含清潔劑的水切換到蓄水池中，因此在別人家草皮枯黃時，他家的草皮仍然是嫩綠的，因為他認為草皮很重要，可以襯托出房子的美，所以願意花心思去設計這個活塞開關。凡事事在人為，有些措施不一定要花很多錢就可以做起來。

其實任何發明都源於一個心，有心要做，人便會想出很多點子來解決問題，沒有這個心，縱使很多資源放在眼前，也不會利用它。這個改善的心其實就是創造力的原動力，創造與發明很少是無中生有的，多半是就既有的現狀來加以改進，使它更好用而已。多少年來，我們的教育都偏重在知識的傳授，忽略了生活上問題解決技術的重要性，當一個東西壞了，我們第一個念頭便是丟掉，再買一個，很少把它拆開來看看可不可以修，或去找別的替代品。我們現在已經嘗到輕視工藝技術教育的後果了，街上雖然是博士滿街跑，但是都是肩不能擔、手不能提、四體不勤、五穀不分的人，這是為什麼我們現在要從國外進口科技人才，因為自己訓練出來的人只會說，不會做。

動手要從小訓練，我剛去美國時，看到我的指導教授自己推剪草機、自己油漆房子，當時覺得很驚訝，這種事不是花錢請人來做就可以了嗎？後來才了解知識只有跟生活結合才會有新的發明出現，當自己動手做時，就會產生許多可能改進的方法。我妹夫並非念水電工程，但是從小有動手修理東西的經驗，所以知道活塞的原理，因此自己試著去做，成功後非常高興，有客人來都帶去院子參觀。這種自我挑戰和自我滿足的經驗，在處處仰賴他人服務的台灣社會是很缺乏的，但是它卻是孩子成長很好的鍛鍊，所以我們是否也該鼓勵孩子多多動手，事事不求人呢？

12 萬能的是人腦，而非儀器

一個學生氣急敗壞的來找我說：「實驗的儀器壞了，如果送回德國原廠修理，最少要三個月，會來不及畢業，怎麼辦？」我看了一下後說：「你是電機系畢業的，應該可以自己修修看。」他猶疑不敢答應。我從書架上取下《昆蟲知己李淳陽》（遠流出版）跟他說：「放你半天假，去把這本書看完再來找我。」第二天一早進研究室，發現這個學生已經在弄儀器了。他靦腆的說：「老師，對不起，我昨天應該先修修看，不行才來找您。」到了下午，他雀躍的進來報告，儀器會動了。

李淳陽這本傳記是我所知道最有效的激勵學生的方式，也是我認為每一個學生都應該讀的一本書。一個科學家不是等別人把一切都弄好，然後他再去做實驗；真正的科學家是在沒有儀器、沒有經費、最惡劣的情境下，還能用他的大腦與毅力把實驗做出來，把問題解決掉。

台灣早期水稻最主要的蟲害是青椿象，過去研究都是把青椿象捉來放在玻璃皿中，摘稻葉給牠吃，但是牠不能在實驗室中存活，所以無法做長期的觀察和研究。李淳陽發現青椿象是用口器吸吮葉汁，但如果葉子本身沒有壓力便吸吮不出來，而稻葉被摘下後液壓減少（缺乏來自根部的壓力），即使把稻葉插在水瓶中，壓力仍然不足，青椿象吸不到汁液便餓死了。知道了原因後，他便將稻子種在花盆中，一直保持活的狀態，青椿象便能順利進食，不再餓死了。一旦能在實驗室中觀察牠的習性，便可找出防治牠的方法，挽救了台灣的稻作。所以科學家先要有好的觀察力。

科學家另一個必備的能力是靈活的頭腦。在民國四十年代，大家並不知道農藥有滲透性，以為只要沖洗乾淨就可以安心的吃了。李淳陽在大豆的芽心滴上一滴農藥，過二個小時後剪去芽心，等它再發出新芽後，剪去一枝，只留下另一枝，讓大豆的害蟲潛莖蠅在上面產卵，幼蟲孵出來後會鑽入豆莖內吸食養分，這時，他將豆莖剪開，發現無論是上、中、下段的每一隻潛莖蠅幼蟲都死了，表示在滴完農藥兩個小時內，農藥就已進入大豆組織內且到新長出的豆莖裡，使得幼蟲不論鑽到什麼位置，只要一吃就死亡。在二次世界大戰後，連飯都吃不飽更遑論買儀器的惡劣環境下，李淳陽用他的大腦勝過了有先進儀器的美國，使得美國因而禁售這種農藥。

另一位靠著觀察力和頭腦而有重要發現的是一百多年前瑞典的一位醫生，他在晚上看到太太在紡棉紗，便要她把一塊燒紅的煤炭綁在紡紗輪上，然後慢慢的轉動紡輪，當這個煤炭的紅光在視網膜上形成一個圓圈時，將圓周除以速度便得到視覺暫留的長短，這個數字到現在用精密的儀器測量，仍然是四分之一秒。所以先不要抱怨學校沒有好的儀器、沒有足夠的經費，先想一下過去的知識和經驗是否可以解決問題。

現在的孩子比較習慣依賴別人，很少自己動腦筋去想解決的方法。其實儀器並非萬能，萬能的是人腦，儀器的發明使做實驗方便，但會做實驗不代表是科學家，真正的科學家是像李淳陽這樣，在沒有儀器、不能做化學分析的情況下，用生物測定的方式也完成了任務。他是我心目中一等一的科學家，也是最好的本土榜樣。

13 自由環境裡的創意思考

報載李遠哲說美國的教改學到台灣的缺點，過分重視考試，學生越來越沒創意，只會考，不會想。有學生問他為何在這種制度下也能拿到諾貝爾獎，李院長把它歸功於小時候自由自在的成長，使他的思想不被教條所束縛。他說他對小學印象最深刻的是上山躲警報的那二年，那些日子很少上課，但是在山上生活反而收穫最多，學會了尊重大自然及刻苦耐勞，這對他以後做人做事的影響遠大於學校的教育。

李院長說的這些話，使我想起最近看的《吃點子的人：劉興欽傳》（聯經出版）一書，他也是把他的創造發明力歸功於小時候的自由生活。他說他最快活的日子也是在山上躲警報的日子，他家窮，所種的米自己不能吃，都得上繳，日本人很兇惡，如果發現台灣人吃白米會被打和抓去關，因此他只好上山找日本人不知道的東西來填飽肚子。他說芒草心、野漿果都可以吃，甚至還會去找蜂蜜來吃：如果看到蜜蜂的腿變粗，上面沾滿金黃色的花粉時，就是採好蜜要回巢了，他就跟蹤牠，回到窩前，用鼻子用力聞確定地點後，把手洗乾淨，免得蜜蜂聞到汗味會螫人，然後慢慢把手伸進去，摸到有毛的不要碰，摸到濕濕黏黏的就摘一點來吃，那在沒有糖吃的年代，真是人間美味呀。那個時候的小孩都訓練出一套野地求生的本領，這個本領使他們腦筋靈活，會因地制宜想出替代方法，這就是創造力，更重要的是，這使他們有信心，知道自己有活下去的本事。

劉興欽還說了另一個很有創意的故事：當時台灣人養的豬也要上繳，如果偷養豬沒有報備是會遭受毒打，甚至抓去關。一個不合理的制度，老百姓會反抗，還是會偷養。劉興欽說有一天，他看到日本警察來檢查了，他家正好有一隻偷養的小豬，他媽媽嚇壞了，不知該怎麼辦，劉興欽就一把把揹妹妹的揹帶拿來，將小豬揹到背上，當作妹妹（日本人知道一家有幾頭豬，卻不知道一家有幾個人，在殖民地時代，真是人不如豬）。但小豬揹在背上太舒服就睡著了，警察來時，小豬竟然開始打呼，劉興欽情急之下便放聲大哭，用哭聲來蓋過小豬的鼾聲，警察大怒說：「還沒有打你，你哭什麼？」他母親急忙賠不是：「小孩子沒有見過大人天威，真對不起。」然後喝斥他說：「還不快滾出去！」劉興欽逃出房子，躲過一場災難。

他在書中一直強調，在山上的時光是最快樂的，環境的需求逼迫他們動腦筋以求生存，成習慣以後，碰到問題會很自然的去想解決的方式，而不是先想逃避的方式。山上的孩子觀察力敏銳，因為只有平日多觀察、多留意，要用時才知道去哪裡找材料。觀察力是創造力的先決條件，沒有觀察如何會有創造？觀察力固然可以訓練，但是現代的孩子被課業壓的這麼重，哪有時間去培養觀察力？這就難怪我們在創造上遜人一籌。

看到李遠哲的話，再想到劉興欽親身的體驗，真覺得現代教育與社會需求背道而馳。一個有點子的人比一個會做的人更有價值，因為有了點子可以去找別人來完成他的設計，而一個只有技術不會動腦的人，就永遠只能替別人加工。

14 吹響二十支小號的樂音

人生有很多事的效果並非當下可見，但是只要種下善因，一定能結出善果。

幾年前，台北美國學校的音樂老師何瑞（Ray Heberer）捐了二十支小號給南投縣信義鄉的山地國小，何老師說原住民肺活量大，吹小號應該很適合。久美國小分配到了這二十支小號，全校學生都來吹，但是因為學校小，沒有音樂老師，台中有一位林侑慶老師自願每週抽空上山來教，他們就這樣練了起來。之後，一位老阿公在田裡工作時聽到了小號聲，由於他當兵時曾吹過小號，很喜歡，便循聲找到久美國小，從此變成管樂團的一員。現在他農作累了就會拿出小號來吹。我去看他們練習時，非常感動，孩子們很努力的吹，吹完地板上全是口水，需要派值日生拖地。

台北雨農國小的小朋友四月份曾經上山去跟他們交流，一開始，這些山地家長很緊張，怕自己家太簡陋，無法接待台北來的貴賓。校長安慰說簡陋不要緊，乾淨就好，因此有一週學生的作業是洗床單、洗被套、通水溝、掃街道和拔野草，把整個環境清得乾乾淨淨的，結果台北的小朋友都住得很高興，反而是分配到教會住的學童在抱怨。他們發現到，硬體並不重要，重要的是軟體——人。

經過這一次交流，家長們學會破舊沒有關係，但是要舊得乾淨；窮沒有關係，但是要窮得有骨氣。環境整潔帶給了孩子自尊，現在的久美社區非常乾淨。

這次他們要下山來雨農，校長規定要做到十個工作目標才可以下山：要閱讀十本書（讀完每個人到校長室接受校長的認證），用母語自我介紹，社區服務十個小時，下田工作十次，每天存十元，還要會唱山地歌謠等。結果幾乎所有的小朋友都達到這些目標，但是一輛遊覽車只能乘坐四十人，為此有些孩子便不能前往。雨農國小的家長知道了，便募款再包一輛遊覽車，全校師生一起下來。因為還有空位，有些走得開的家長便隨行下山來看一下台北人怎麼教孩子。這給了父母很大的衝擊，原來孩子是要教的，不是會長大就好，過去的價值觀可能要調整一下。

了解是消除偏見最好的方法，山上的孩子下來住在台北同學家中，白天跟他們一起上課，晚上吃著同學媽媽燒的菜。台北的孩子羨慕山上的小孩沒有近視眼、體格壯健；山上的孩子羨慕台北有刨冰吃、有電梯搭。互相羨慕，各自了解自己所擁有的可貴。有一個孩子跟我說：台北很好，但是他看不到山會不習慣，以後還是要回到山上就業。也有孩子告訴我，他以後想環遊世界，所以要好好念書，下山來讀大學。

在台北表演時，美國學校的何瑞老師也來了，他很感動的說：「這二十支小號本來是要報廢的，現在又找到了新生命。」我望著台上穿著布農族傳統服裝、正努力吹著西洋樂器的小朋友，心中想：何止小號找到了新生命，它們也為小朋友帶來了新生命。

人生的路有很多條，只要適合自己的本性，無論走哪一條都是成功的人生，但是應該讓孩子了解選擇背後的意義。好幾個孩子在國中時裝酷，手臂上刺了青，後來除非雷射或植皮，否則擦不掉，而他們都說不知道後果這麼嚴重、不可逆轉，如果知道的話，就一定不會去做。

城鄉交流最大的好處是增進雙方的了解，讓孩子看到山底下的人的生活是什麼樣子，如果選擇下山，就得要有能力跟山下的人競爭；如果選擇留在山地，就得要發展在山上生活的技能。教育是為學生出社會做準備，城鄉交流給了他們準備的機會。

15 天生我才必有用

一位朋友回國省親，跟我談起他在美國替華人特殊兒童做義工的一些情形，其中有個廿七歲重度自閉的孩子，不會說話，但是很喜歡排列東西，只要看到任何東西，必得按大小高低順序排好才能離開。既然有這樣強烈的偏好，他們便把他帶到圖書館去做義工，將讀者歸還的圖書放回書架上，因為按順序排列是他的嗜好，所以他一點也不以為苦，每天都把所有的書一一上架後才肯回家，做得又好又仔細，因此自從他來了以後，圖書館便不再有人抱怨找不到書——明明沒有借出卻又不在書架上。

後來，圖書館開始付他工資，讓他專門負責館內圖書的清查與歸位，因為效果很好，其他的圖書館也聘他做臨時工，輪流到各個社區圖書館去巡迴，確定書籍都在應該在的位置上。雖然臨時工的薪資不高，但是他自食其力，而且樂在其中。其實，一個理想的人生便是做自己喜歡做的事還有薪水可拿。這件事成功後，他們便開始幫助其他殘障的孩子找工作。

例如，另一個自閉症孩子是見不得一點點髒，一點零亂都不可以，地上所有東西都得立刻撿起來放回原位，因此他們帶他去大賣場打工，專門負責貨物開箱上架。別人做這個無聊的工作會摸魚、偷懶，但他因為不能忍受地上有雜亂的箱子而必須立刻開箱，貨物完全上架，地掃乾淨才能休息。他的勤奮（應該說他的怪癖）使老板覺得僱用他一個人抵得過二個人，便不計較他的學歷，正式僱用他。朋友說他們儘量發掘孩子的長處，鼓勵他們朝長處發展，並且藉此長處來謀生。

這兩個故事讓我想到「天生我才必有用」，人一定都有長處，只看我們能不能發現而已。西諺：「沒有什麼叫天才，放對位置，得以發揮才能的人便是天才。」這兩個自閉症孩子的長處如果沒有被發現，社會如果沒有開放的胸襟，他們也不可能獨立謀生。看到這一點，我很替國內的孩子叫屈，因為這兩個華人孩子都生長在美國，才有機會證明自己是有用的，而在台灣，我們有提供孩子發展長處的機會嗎？

現在的學生超級不快樂，即使有再多的長處也都被課業給淹沒了。我們都知道教育的目的是為學生將來進入社會做準備，既然現在是個多元的社會，各種行業都有各自的價值，我們為何不讓孩子去走他想走的路，而非要強迫他跟別人一樣呢？三千年前孔子說教育是「因材施教，有教無類」，很慚愧的是過了三千年，我們仍然沒有做到這一點，《禮運・大同篇》的「人盡其才，物盡其用」，也仍然是個夢想。看到這兩個自閉症孩子找到了他們自己的利基，我們是否也該反省一下，我們有沒有努力找出孩子的長處，鼓勵他去創造一個發揮長處的人生？

16 新的一天就有新希望

中午吃便當時，同事談起小三學生獨自陪伴父親屍體十五天才被發現的新聞，大家一致的反應是「不忍心」，小小年紀竟然可以獨自生活十五天，自己會做功課，自己照顧自己，這麼乖巧的小孩，真是令人不捨。有一位同事說：「如果我的孩子這麼乖巧，我一定不會去自殺，好歹也要替他撐到二十歲。父母親即使沒有別的能耐，至少可以替孩子擋風遮雨，怎麼忍心拋下九歲的孩子自己去自殺！」是的，做父母是有責任的，不可以一走了之，既然生下了他，就必須保護他、教養他，但是很多人不了解「失業」是個重大的身心打擊，它所帶來的自我否定會徹底毀滅一個人的自尊心。這件事是個慘劇，政府沒有盡到提供人民工作機會的責任，社會沒有盡到守望相助、相濡以沫的責任，如果現在不亡羊補牢，還會有更多類似的慘劇發生。

生命教育不是喊口號，它要落實在生活中。我們常叫孩子不要悲觀，卻不曾教他們如何改變悲觀的心境。人都有山窮水盡、活不下去的時候，但是只要撐過這一天，明天旭日仍舊東昇，新的一天就是新希望，就可能會有新的轉機，生命就是不放棄，永遠等待機會。我很小的時候，父親告訴我，如果遇到困境，做與不做都是百分之五十的機率時，一定要做，因為一動就改變了機率，就有新的希望，絕對不能坐在家中等待機會降臨，要主動出擊。俗話說「行動三分財氣」，積極行動就會碰到機會。父親還說：「想好了再做，做了就不要後悔，如果失敗，東山再起，不要自怨自艾。」有正確的態度才會有正向的人生觀。

另一個對抗壓力的方式是交知心的朋友。這個孩子的父親如果有一兩個好朋友可以分憂解悶的話，或許不會走上絕路。朋友在人生路上的重要性遠大於知識，所以我們必須讓孩子有時間去交朋友，累積他人生的資本。現在的孩子ＩＱ都很足，但是ＥＱ卻普遍不足，很令人擔心。

第三，我們必須讓孩子了解成功的定義有很多種，只要對社會有貢獻便有意義，就算一生不得志，但只要教養出一個好孩子，可以做國家的棟樑，就是有意義的人生，而不一定要做大官、發大財才是得意人生。一個人只要正心誠意、勤勉工作，就一定會有貢獻；但也因為許多貢獻是無形的，讓我們常以為自己無足輕重，這個世界多我一個不多，少我一個不少。但是只要活著，人就無時無刻不在影響別人，老師影響學生，學生影響家長，家長影響朋友，連不相識的人都可能因為萍水相逢而影響別人一生。所以只要心存善念、努力工作，這個世界就因為有你而不一樣了，有這種信念的人是不會去自殺的，因為他有存在的價值。

要阻止這種悲劇的一再發生，我們必須讓國民對生活有所期待，人必須看到希望，才有活下去的勇氣。政府必須拿出魄力破獲詐騙集團，使人不再因害怕受騙而拒人千里之外；政府要將內鬥的精神花在提升經濟上，當人民有飯吃時，自然不會去尋短路；政府更要鼓勵全民閱讀，讓人民從前人智慧中擷取教訓來提升自己的精神情操。提供人民一個安定穩固的社會，讓人民對明天有期待，這是政府的基本責任，我們衷心盼望不再有父母攜子女全家共赴黃泉的慘劇發生，請政府拚經濟，請大家多關懷你身邊的人！

17 我比較笨，但沒有比較壞！

昨天在清理東西時，不經意看到兒子二年級時所畫的一張謝卡，上面是一隻穿著球鞋的鵝，還歪歪斜斜寫著：「親愛的佛萊明先生：我覺得安迪鵝是世界上最幸運的殘障鵝，因為他有你這個好爸爸，我希望我以後也能如此幫助行動不便的人。」原來有一隻鵝天生就沒有腳掌，兩隻細棍似的腳無法平衡牠的身體，所以牠只能匍匐前進，或是站起來突然之間跑得飛快，但是一停下就摔倒，像我們騎腳踏車時，車子在動就不會倒下，但是一停住沒有支撐點時，就會倒下。這種殘障鵝當然是受人欺負，而佛萊明看到了就動了惻隱之心，將牠買回家，替牠裝上義肢，穿上小嬰兒的鞋子，鞋子上還得打個洞，使牠游水時水可以從鞋中漏出來，以免太重把牠拖到水底溺死，所以安迪鵝就變成了一隻穿著鞋子的鵝了。佛萊明帶著這隻鵝到各個小學演講，教導孩子不要歧視跟自己不一樣的人。美國小學每學期都有像這樣的生命教育活動。

我看到這張卡片很感動，因為想起之前報上登過輕度智障者想搬入啟智技藝訓練中心替她們買的社區房子，自己獨立生活，但是社區住戶不讓她們遷入，斷水斷電，使孩子所養的金魚因斷電而死亡，還將他們強拖出門，推倒在地，甚至傳出呼吸會傳染精神病的謠言，要求他們裝獨立空調。這個消息真是令人不敢相信它發生在廿一世紀的現在，而且是號稱以人權立國的台灣！誠如那個小女孩說的：「我比較笨，但是我沒有比較壞。」一個人生為智障兒不是他自己的選擇，是上天的不公平，我們豈可再添加人間的不公平，助紂為虐？精神病不是傳染病，空氣不會傳染，不需要獨立空調設備，這應該算是普通常識吧！從這點我們看到台灣教育的失敗，我們不但在知識上教得不夠，在生命教育上則差更多，為什麼一個受過國民教育的大人會這麼沒有憐憫心，竟會對一個力求上進的智障兒百般打壓？

生命教育的推動真是刻不容緩，我們要儘量找這方面的書給孩子看，培養他的同理心和悲天憫人的情懷。消除偏見最好的方法是靠閱讀，我的兒子在看完史坦貝克（John Steinbeck）的《人鼠之間》（*Of Mice and Men*）後，行為有顯著的改變。這本書是他中學時社會科的指定讀物，大意是說一個智障兒與他朋友一起在加州北部的農場打零工幫忙收割，因為他天真不懂事，對人沒有戒心，結果出了人命，朋友帶他走水路逃亡，躲在沼澤中時，聽到狗吠聲越來越近，知道逃不掉了，就將他悶死，因為一個純潔的心靈在邪惡的社會是沒有生存空間的，與其被捉後受刑而死，不如他現在將他悶死，以解脫他的靈魂。

這個故事非常的淒慘，看完後不久，他們學校舉辦園遊會，兒子與同學大老遠坐公車下山去照顧喜憨兒烘焙屋的生意，而沒有就近在學校附近買西點。他告訴我，沒有人願意生為喜憨兒，但是每一個人都有他生存的價值，他們願意盡他們的能力給殘障人士一個生存的空間。如果一個十四歲的孩子會說出這種話來，為什麼有著更多智慧、更多人生歷練的大人會不如國中生呢？我敬佩那些教導殘障者的輔導員，他們是對的，「給他們機會，讓他們有用」，沒有人願意成為社會的負擔，只要給他們機會，讓他們跟你我一樣，他們就能自食其力。最主要的是你給了他尊嚴，而尊嚴是做人的基本條件。請不要因為不是他的錯，而拒絕他做人的基本權利。

18 請給自然一點尊重！

最近去山地小學演講，在玉山國家公園看到一件如果不是目睹，不敢相信的事：我去排隊上廁所，前面是位衣著光鮮，穿著最新流行巫婆高跟鞋的年輕小姐，當她上完輪到我時，我發現她沒有沖水，一開始我以為是水箱壞了，就試拉一下確認，預備去報告管理員來修理，想不到一拉水就沖下來了，表示水箱是好的，我便追出來跟那位小姐說：「小姐，你上完廁所忘了沖水！」想不到那位小姐一點都不覺得羞愧，反而轉過頭去跟她媽媽說：「媽，那條繩子好髒，我才不要把我的手弄髒。」她母親立刻說：「對，對，不要去碰。」我非常的吃驚，這是母親教孩子的生活禮儀嗎？很早以前有人去新加坡開會，回來告訴我們新加坡廁所站有專人，如果上廁所不沖水，要罰款，我當時聽了覺得很好笑，哪有人上完廁所不沖水的呢？想不到現在讓我在自己國家看到了這個行為，而且原因不是不知道或是沒有這個習慣，而是因為自私，不願弄髒自己的手，而不管別人要用骯髒的廁所；最可怕的是，這還是她母親允許的行為。

走出遊客中心，看到滿地西瓜皮、食物包裝紙屑及礦泉水空瓶，我不死心再上前去勸說，得到的答覆是垃圾筒滿了，沒處可放；但是對街就有好幾個大的綠箱子！我看停靠在旁的遊覽車上掛著某某里民自強活動的牌子，這種行為是「自強」行為嗎？那一群遊客上完廁所，補充完熱量，去爬山了，但是他們一路上大聲喧嘩，走在前面的大聲喊：「你們快一點呀！」走在後面的自顧自聊天，不管前面小孩在喊什麼。更奇怪的是有人拎了收音機，一路聽球賽。假如你放不下文明的便利與享受，何不留在家中翹腳看電視呢？何苦千里迢迢來到山林用電波干擾山間清風，水中游魚及樹上蟬鳴呢？我覺得這是對大自然的不尊重與侮蔑，就像有人來你家作客，他不欣賞你精心為他準備的特產，卻帶來他家的食物，並把你家的擺設重新排過，因為他習慣了他家的擺法，你會不會覺得很不被尊重，很生氣呢？

我們的教育一向只注重智育，美育非常缺乏，使得我們的國民不懂得欣賞美的東西，每到一個風景名勝，都是照相，上廁所，吃東西，三部曲完便走人，對大自然絲毫不珍惜。像這樣的國民素養，我們怎能開放國家公園建纜車，一天幾千人上山作孽呢！高山纜車不能建是因為我們國民的素養還沒有提升到可以無害的去親近自然的地步，祖先傳給我們的好山好水，我們有責任和義務保留給後代子孫看。

國家公園的設立通常是在生態上有特殊的地方，用法律的力量收歸國有，不准隨意開發、濫墾，以保護其特殊性。它的目的跟森林遊樂區是完全不同的，我們不能在國家公園內推動大眾旅遊，設立小木屋、烤肉區，有這種想法的人才是沒有知識，腦筋不清楚的人。

「人定勝天」是錯誤的，人不能用科技的力量無限制的挑戰天，大自然一旦反撲時，人會死無葬身之地。人應與大自然共生、共存，只有尊敬大自然，才能使子孫在這地球上五世其昌，永保安康。以目前這種膚淺的政治眼光來建纜車「經營」台灣的觀光，我們會連最後一點國際觀光客都流失掉，因為一個沒有文化、自然特色的國家，是無法吸引觀光客的。不知何時，「俗又有力」變成時尚，五二〇國宴上出現塑膠竹子看起來不是例外，而是冰山一角。我們離已開發國家還遠得很呢！

19 炫耀時尚的歪風

最近發生父母去安親班接孩子，被歹徒盯上，擄人勒索的事件，幾個比較有錢的朋友都嚇壞了，賓士車不敢開，名牌衣服不敢穿，生怕太招搖了惹禍上身，一個朋友很不甘願的說：「好不容易買得起貴的東西，竟然不能拿出來炫耀，豈不是錦衣夜行了嗎？」原來名牌並不是穿起來比較舒服，只是炫耀的工具罷了，因此很替他悲哀，因為人比人氣死人，何況累積這種有形的財富是累贅，炫耀它則是不智之舉。

古人說「財不露白」是有道理的，貪是人的本性，人為財死，鳥為食亡，財露了白，就會引起別人的貪念，與人鬥富者都沒有好下場，石崇就是一例（編按：西晉人士，因財多而殺身，為艷妾而招滅門）。更糟的是，父母這種心態會帶給孩子不正確的價值觀，影響孩子的一生。無獨有偶，今天早上新加坡的記者打電話來採訪，說現在的孩子喜歡跟別人比炫，手機一換再換，名牌一買再買，問「好東西若不拿出來炫耀那何必擁有」的這個觀念我是否贊成，如果不贊成，那要如何教導孩子不追求時尚，抵擋別人炫耀時的威風？

這真是一個好問題，因為目前社會風氣不正，積非成是，已經到了無廉恥的地步了。新加坡記者用「威風」兩個字，我覺得很傳神，一個孩子要能擋得住媒體八卦低俗新聞的誤導、別人財大氣粗的威風，還真需要正確的價值觀與很強的自尊心和自信心。要做到這點不容易，需從小教導孩子從實例中去了解，抽象的口號是沒有用的。

我小時候看《西遊記》，似懂非懂，幸好每天晚上父親都會抽一點時間出來問我們今天讀到什麼東西。有一次讀到「觀音院僧謀寶貝，黑風山怪竊袈裟」，唐僧有一件觀世音菩薩賜的五彩錦斕袈裟，被孫悟空拿出來獻寶，觀音院的老和尚看了以後動了貪心，想要擁有，便趁他們師徒二人熟睡時，將門栓住，堆起柴火，想要將他們燒死後，佔有袈裟。火起時，黑風山的妖怪前來救火，一看袈裟所放出的霞光，便知是寶貝，也起了貪心，不救火了，偷了袈裟便回轉妖洞去，引出後面的「孫行者大鬧黑風山，觀世音收伏熊羆怪」。父親說，古人很早就告誡「珍奇玩好之物，不可使見貪婪奸偽之人」，一經入目便動其心，既動其心，便生其計，如果他向你討，你畏懼權勢，不得不給他，你是白白損失一件寶物；如果不應允，那一定會惹禍上身，被人謀財害命了。父親舉了一些歷史上的例子，因為我不知道這些人是誰，聽了沒什麼感動，父親便舉我所熟悉的京戲《一捧雪》，為了捨不得一個玉盃而家破人亡。小時候聽的故事印象深刻，到現在五十年了，仍然記得「財不露白，不與人鬥富」的教訓。

所以要使孩子不追求時尚，不跟人比炫，便要以孩子熟悉的例子切入，讓孩子知道自己的人格特質是交友的唯一條件，「以財交者，財盡而交絕，以色取者，色衰而寵弛。」如果總是以物來相比，一山還有一山高，而且將時間花在追求物質上，就沒有時間充實自己，變成「金玉其外，敗絮其內」，這是我們最看不起的人，因為他表裡不一。

除了觀念之外，孩子還得要有自信心，才擋得住別人的炫耀。建立自信心最好的方式便是放大他的長處，看孩子先從優點看起。以前，我有位老師說：「改進孩子缺點的最好方法是放大他的優點。」有自信的孩子是不會盲目追求時尚的。

品德教育是潛移默化的長久工程，新加坡注意到社會的這個歪象，我們也該反省一下，目前島內的風氣也差不多到了《聖經》天火焚城的地步了，要匡正社會風氣沒有捷徑，請以身作則，從教育孩子正確的價值觀開始。

20 潛移默化作用的戲劇

之前看了黃春明編導的歌仔戲《杜子春》，心中很有感觸，小朋友在散場時，一直問：「媽媽，那些人是不是酒肉朋友？杜子春是不是敗家子？」在目前台灣社會快速沉淪，道德如此敗落時，真的非常需要像《杜子春》這種能夠寓教於樂，讓孩子從戲劇中體會到人生百態和生命意義的戲。杜子春是個浪蕩子，把萬貫家財敗光後，看破紅塵想出家，老道人帶他到崑崙山斷情崖去測試他是否真心，告誡他無論如何千萬不可出聲。他對猛虎、女色都能不動心，唯獨看到老母被牛頭馬面鎖著枷一步一哀嚎拉著下地獄時，情不自禁喊出「母親！」結果破了功無法成仙。老道人給了他一把鋤頭，告訴他「舉頭三尺有神明，掘地三尺有黃金」，叫他好好做人，從頭來過。

中國過去很窮，老百姓大部分是文盲，名字都不會寫，連賣身契都只得畫押，更不用說教育了。但是因為有戲劇，傳統的忠孝節義透過表演深入人心，一代代傳下來成為我們的價值觀。一個人如果連母親受苦也無動於衷，那麼不成仙也罷，成了仙也不會是什麼好仙。老人因為杜子春對母親有孝心，所以給他鋤頭，讓他東山再起，那句「舉頭三尺有神明，掘地三尺有黃金」，便是我們小時候常聽到的告誡：頭上有神明，所以做事不敢欺心，「不欺心」本來就是做人最根本的條件。我去美國讀書時，大舅送我一個圖章，上面刻的就是「不欺心」。如果社會上每個人都能做到不欺心，政治就清明了，人民也安居樂業；陶淵明的桃花源不也就是一個不欺心的社會嗎？

「掘地三尺有黃金」更是中國人傳統的美德，勤就一定有飯吃，努力耕耘自然有收成。老一輩人說勤、儉、勒、積，勤是開源；儉是節流；勒是把褲帶縮緊，少吃一點，攢下來供明天吃，人要未雨綢繆，有東西吃時要想到沒有東西吃的時候；最後的「積」就是儲蓄，省吃儉用儲存起來，自然有財富，老了就不必愁。《菜根譚》裡「當少壯之時須念衰老的辛酸」就是這個意思，「儉則用足，無欲則剛」就不必為生活看人臉色，出賣靈魂。

我看到簡簡單單一場戲劇就把我們要教給孩子的許多大道理都融在裡面，讓孩子在看戲時不知不覺把它吸收了進去，內化成他的道德，真是覺得沒有比戲劇更好的教化人心的方式了。孩子看到之前跟杜子春稱兄道弟的人，在他落魄時絕塵而去，不理他的哀告，就立刻了解平日我們說的「以財交者，財盡而交絕」的意思，所以才會問那些人是不是所謂的酒肉朋友。當孩子義憤填膺為杜子春打抱不平時，我們也收到了教化的效果。

看到戲劇如此撼動人心，並且毫無排斥的為小朋友所接受，真是很為我們不懂得利用這麼好的文化資產來教化孩子而感到惋惜。國家只要挪出一點點錢來培養劇團，孩子不但學會表達內心的情緒，也能從表演中體會人生。我們已經知道任何預防都是勝於治療的，所以無論用多少錢來發展戲劇，都比蓋精神病院或監獄來得便宜，因此我們何不多從正面去發展孩子的情緒，培養美學的欣賞，以提升國民的水準呢？

第3篇

知識學習，科學講道理

1 生命會自己找到出路

我的朋友用二支手機（先生的和自己的），一支電話，輪流不停的撥，在科學營開放報名的第一時間內，替她的孩子報上了名。她高興得不得了，告訴我說，「想想看，幾萬人搶這八十個名額，我搶到了！」相對於她的雀躍表情，她的孩子滿臉沮喪，我悄悄問為什麼，他嘆口氣說：「暑假是另一種學校的開學日。」沒錯，夏令營雖然比平時上學輕鬆，但是又要早起，又要上課，又要做作業了。

這個孩子恐懼數學，討厭物理，但是父母一心認為理工科才有出路，千方百計把他往這方面推，孩子暑假想看些世界名著也不得閒，我了解他父母的苦心，他們覺得應該要讓他接觸過所有的領域後才做決定，免得以後後悔，這些都是對的觀念，只是在執行上拿捏很困難，常會讓孩子覺得被逼迫。其實天下沒有白走的路，就算是改行，只要在過程中學到東西就不算白走，而且人生常用到以前繞路時所學到的經驗。

我曾問一位世界著名的犯罪學專家，他為何會有機會掃瞄過四十一名殺人犯的頭腦，他告訴我說，他當年從牛津大學畢業時，英國的景氣不好，找不到工作，曾去監獄做過教誨師，因為很盡責，讓典獄長留下良好的印象，因此當正子斷層掃瞄儀出來，他想做這方面的研究時，典獄長相當幫忙，使他得以以犯人來做實驗，成為世界上的權威。所以不必擔心孩子走冤枉路，只要有所得就不冤枉。父母應該在孩子小時候，從遊戲中觀察他的性向，然後引導他往長處去發展，不然世界上領域這麼多，怎麼可能都試一試呢？事實上，大家搶著報名的是科學營，其餘的文學營、戲劇營並不怎麼熱烈；基本上，大人還是覺得理工有出息，只是苦了那些對理工沒興趣的孩子。這個觀念需要慢慢導正，讓他去上沒有興趣的科學營，不如去上有興趣的文藝營。

科學家很早就發現猴子只有在專注感覺輸入和手指訓練時，大腦才會出現重組現象，也就是說，動物只有在想要學習，想要記住某個事件時，大腦才有重組的現象。最近有好幾個實驗發現，訓練老鼠耍雜技，會改變老鼠皮質神經連接的密度，叫牠跑跑步機卻不會；老鼠主動運動時會（如自動自發去跑風車），被動的運動（把牠丟到水裡，逼迫牠運動，不游就淹死）卻不會。被動運動的老鼠犧牲後，發現只有管運動的小腦神經連接有增加，其餘部分並沒有。

人類在這方面也是一樣的，對於中風病人，過去是要他正常的手去學習已癱掉的手的功能，現在則是把正常的手綁起來，使它不能動，強迫病人去動已經癱瘓的手。這樣密集訓練二年之後，病人的手可拿刀切牛排。但是如果把手綁在機器上，被動的訓練就沒有這個效果，學習還是只有主動才有效。

只要了解到這一點，父母就知道強迫是沒有用的。電影《侏羅紀公園》中有一句名言：「生命會自己找到出路。」只要孩子有興趣，他自己會找出一條謀生之道，最怕是硬把他放在某個不適合的位子上，埋沒了他的天賦。我曾經參加過一個殘障學生的婚禮，新郎新娘都要用枴杖才能走路，在喜宴中就有人說：「二人都用枴杖，將來怎麼抱孩子？」後來他們生了孩子，我去看他們時，發現他們要把孩子抱回臥室去睡時，就像我們小時候救火一樣，排成一排，一個人接一個人的把水桶傳遞上去，他們也是用接力的方式，一個人先抱著孩子站立，另一個人走到前面，把孩子接過來，然後那個人再走到前面，把孩子接過去，這樣一步一步雖然慢，孩子也是平安的回到臥室。天下事，窮則變，變則通，大人不必太操心，他有興趣，有意願，自己就會找到生命的出路，我們只能像座燈塔指出明路，怎麼走還是要完全看孩子。

2 用毅力創出神經機制

前幾天和朋友出遊，走錯了路，進了一條很窄的小巷，兩邊都停滿了車，本來期待穿過小巷是大路，想不到柳暗花明之後是死巷，只有倒車出去一途，當時我很緊張，因為進來都不容易了，何況倒車出去。想不到我朋友不慌不忙解開安全帶，側過身子，一手扶方向盤，一手扶著我的椅背，就這樣一寸一寸的退出去了。她看到我嚇得閉住眼睛不敢看，就告訴我這是練出來的，有三年的時間，她送女兒去學繪畫，老師家在一條很窄的巷子裡，因此練就一身倒車工夫。她開玩笑說：「老師，你要不要來照一下我的大腦，現在保證跟三年前的不一樣。」沒錯，現在科學家的確已經知道我們的腦部會因環境而改變。

加州大學舊金山醫學院的教授訓練六隻成年猴子從杯中抓出一小粒葡萄乾吃，這些猴子在實驗開始前廿四小時沒吃、沒喝，肚子非常飢餓，因此牠們會努力的去從杯中攫取葡萄乾充飢，心理學家把這個定義為「動機」，因為猴子跟人一樣，吃飽喝足就不動了，所以這些飢餓的猴子非常有動機，很努力的去運動牠的手指以攫取食物。

實驗者在猴子大腦中專門負責手指協調的地區植入電極，記錄牠的神經發射，找出這隻猴子拿東西時大腦的活化處，結果研究發現，才第二天，猴子大腦皮質掌管手指運動的部位就增大了，表示更多的神經元加入了這個工作。當猴子學會了這個動作以後，實驗者就換小一號的杯子讓猴子從中攫取葡萄乾，熟練了以後再換小一號的杯子，換了四次以後，猴子可以很熟練的從很小的杯子中夾出葡萄乾而不落空。

研究者發現，猴子的大腦運動皮質區會隨著練習而變大，但是熟練以後，區域又縮小，也就是說，一開始時，大腦徵召附近的神經元放下原有的工作來幫忙操作手指，取得食物以免餓死；但是當不斷練習使得神經迴路活化，形成精密的連接時，熟能生巧，自動化後就不再需要這麼多的參與者了。這就像剛學開車的人手忙腳亂、顧了左邊卻顧不了右邊一樣，但是一旦成為老手，就能一邊開車一邊聊天，還兼聽收音機或做別的事。這個實驗用的都是成年的猴子，牠們的大腦都因外界的需求而改變了功能的分配；我們過去以為大腦定型了就不能改變，其實大腦隨時都在變，「終身學習」是有道理的，我們看到了它的神經機制。

美國有位世界知名的牲畜處理設計專家天寶・葛蘭汀（Temple Grandin），她是個自閉症者，其貌似正常的社交行為其實是血汗辛苦累積的成果。自閉症者不會與人交談，為了要練習與人說話，她必須學習兩眼看著人，走上前在撞到人之前停下來，張開嘴巴，說出聲音。為了這一個簡單的動作，她在超級市場的門口練習了千百次：兩眼直視，大步走上前，在超市的自動門打開之前停住，以免撞到玻璃門，然後對著門說：你好嗎?退回去，再來一次。別人都以為她是神經病，離她遠遠的，但她不以為意，一直練到可以自動化的做出這個動作才停止。天寶可能原本沒有這個神經迴路，但是她用她的毅力創造出這個迴路來，使她可以跟別人溝通，這就是學習的真諦。

古人說「天下無難事，只怕有心人」，科學家逐步在大腦中找到了古人名言的神經機制，也讓我們對自己更有信心，只要肯下工夫，就一定會成功。

3 動左手，啟右腦？

每年快放寒暑假時，都會在報上看到一大堆的潛能開發班、心算班、記憶補習班在招兵買馬，打出來的廣告全是腦方面似是而非的說詞，尤其是有人主張孩子每天要動動左手以啟發右腦的謬論，甚至也有大學教授如此主張，每天強迫孩子用左手來寫字，因字跡不美，孩子不肯，還遭受父親處罰，令老師非常困擾。

會這樣子，是因為一般人完全不了解左右兩個腦半球如何處理訊息，再加上不了解原始實驗所使用的受試者是嚴重的癲癇患者，他們聯結兩個腦半球的胼胝體已被剪開了，在實驗上稱為「裂腦」病人。如果你的小寶寶是個正常的孩子，沒有動過胼胝體切除術，那麼他右邊腦半球的資訊就一定會傳到左邊，而且速度很快，千分之幾秒而已，根本不必擔心。

在生理上，並非所有進入兩個腦半球的資訊都是交錯的，雖然從身體兩邊進來的感覺訊號，如溫度、觸感、疼痛、自己手腳所在的空間位置等，是投射到對面的腦半球，但是感官上的資訊必須經過皮質下的組織才能來到皮質，這些低層組織中有無數不交錯的神經通道，所以不論胼胝體是否完整，每一個腦半球本來就會接受到同側（不交錯）和對側（交錯）神經通路投射過來的刺激。運動行為也是一樣，雖然每一個腦半球主控對邊的身體，但它對同側的肢體也有某種程度的控制，在身體中央線的肌肉就是被兩個腦半球共同控制的，這是為什麼只要腦幹與脊髓完整，裂腦病人並沒有感到兩個自我，他們在日常生活上也沒有任何不便或體會到自己的腦已被切斷分離，只有在實驗室精密的控制下，病人才會顯現左右腦各自獨立，各有各的人格。因此如果你的孩子沒有動過裂腦手術，就不必擔心左右腦發展會有失衡的現象。

另一個造成誤解的原因是不了解眼睛和視野的差別。

左右腦控制的是視野，而不是眼球，因此叫孩子每天蓋住右眼，強迫使用左眼以啟發右腦的作法，是完全錯誤的。右腦控制左視野（正確的說法是左視野投射到右腦），而左視野是兩個眼睛的右半邊看出去的地方，因此，在視覺上，我們是兩個眼球左邊的右視野投射到左腦，兩個眼球右邊的左視野投射到右腦，這是視神經的通路設定，所以根本不必叫孩子去遮住左眼或右眼。

其實，孩子的腦是左右一起激發的。前面說過，即使胼胝體被切開，兩個腦半球之間仍有其他通道可以保持一些聯絡，所以神經心理學上才有一個現象叫「盲視」，也就是雖然看不見，但可以知道東西在哪裡，它們可以透過「大腦前連合」（anterior commissural）過去。

一般來說，胼胝體是二億到十億條神經纖維束組成，女性比男性厚、多，用肉眼就可看出差異，而男女在ＩＱ測驗上的表現不同，最主要是他們大腦功能的設定上有所不同，其生理上的原因是女性的胼胝體厚，使訊息跨過左右腦半球的連接橋樑（即胼胝體）時只要千分之一秒，這讓女性大腦在功能的設定上比較可以採分散式，所以女性同樣程度的中風，情況會比男性輕，一邊損傷，另一邊還可以使用。

要不要學心算那是每個家庭自己的決定，但千萬不要用心算可以啟發右腦來恫嚇父母，因為這樣粗略的說法是不正確的。「知識就是力量」，當自己有正確的知識時，才不會被坊間的補習班所左右。

4 左手右手，演化結果

有位學生問我，為什麼上課時眼睛都往左邊看，沒有給她們坐在右邊的同學「關愛的眼神」？我很驚訝，因為自己一點都不自覺。第二次上課時我特別留心這一點，結果發現朝左邊看的次數果然大於右邊，而且差異還不小，這讓我想起以前有位同事每次老板召見時，她一定挑老板對面左邊的位子坐，而且都用右手支頭，讓她的左面朝向老板。現在回想起來還真有點道理，因為右腦管情緒，我們的確是左半邊的臉部表情比較豐富，很多電影明星拍照時都特意選左臉面向鏡頭。但是人為什麼會發展出左右半球功能的差異呢？它在演化上有什麼好處？

有研究發現，動物也有這種左右偏好，例如把蛇放在蟾蜍的左右兩邊時，牠對左邊的蛇反應比較快，這可能跟右腦掌管恐懼有關。一隻右腦受傷的老鼠會在光天化日之下，大模大樣走出洞穴，一點也不擔心牠會變成別人的晚餐；但是把蚊子、蟋蟀放在蟾蜍的左右邊，牠又對右邊的食物反應比較快，舌頭伸出去，百發百中。這可能是因為左腦辨識能力比較強，動物必須確定這個東西是可以吃的，而不是危險的，如有毒的黃蜂不但不能吃，還會被螫，而且左腦對時間性的操控比較好，算準時間舌頭伸出去才能捕到食物。

但是有這個偏好其實是很危險的，因為敵人不一定從哪個方向來；牠可以從左或從右，如果押錯寶就可能會送命，而且蛇如果知道從蟾蜍的左邊攻擊比較早被發現，那麼蛇就會演化出從右邊下手；蟋蟀、蚊子也會演化出避開蟾蜍的左邊的習性，所以從演化上來說，一個種族要綿延下去，牠的行為一定要不可測才行，可預測時，敵人就會埋伏在路上把你殲滅。

二次世界大戰時，日本海軍總司令山本五十六上將就是因為他的行為完全可以預測而送命。他平日行程安排幾點幾分出發，幾點幾分到達，一定依照行程表行事，一絲不苟，所以美軍截獲破譯日本密碼，知道他要坐飛機去巡視南太平洋的艦隊後，戰鬥機便算準時間起飛，在山本五十六預定飛過所羅門群島上空時，準時從空中攔截，把他的座機打下來，所以演化會偏好不可確定性。

現在的研究發現在一個團體中，裡面成員的左右偏好會依其他成員的偏好而有所改變，整體上，它是達到一個演化的穩定策略，使敵人捉摸不定，但是在內部，它允許成員有左右腦的分工以達到減省能源的目的。看到這一點，我們就立刻了解為什麼有人擅長用左手，有人用右手，而且左、右手的比例從山頂洞人到今天都沒有改變，我們從山頂洞人留下的石器中，估計當時右手人佔85%，而今天也是這樣。

所以我們不需要為孩子慣用左手而煩惱。一個團體中一定要有些不一樣的人，團體的生存率才會提高。一九七〇年少棒風行時，七虎少棒隊遠征美國，因為對方是左投手，投出來的球路我們完全不熟悉而慘遭敗北。研究也發現，越是強調互動的運動，如球賽、摔角、擊劍，左手運動員越多。了解到這一點，父母應該以平常心去接受孩子的左利，不要擔心他跟別人不一樣。要知道，在演化中，不一樣常是出奇致勝的關鍵！

5 小事依腦，大事聽心

一位朋友告訴我，她八個月大的嬰兒每次車子駛進褓姆家的巷子就開始哭，起初不以為意，想不到有一天會議突然取消，使她得以提早去接孩子，結果發現孩子滿身屎尿，綁在嬰兒車內大哭，而褓姆卻到隔壁家串門子去了。這才明瞭為什麼孩子一靠近褓姆家的門便緊張得大哭，孩子雖然不會說話，但是恐懼和不喜歡的情緒仍然可以透過許多肢體語言來表達。她說很後悔自己沒有及早警覺孩子的異常，以為小嬰兒只是因為要離開媽媽而哭，沒有仔細去了解哭可能在表達不要或恐懼的情緒，這種為人母的自以為是，卻讓孩子吃了許多苦。

現在的研究發現，嬰兒其實比我們想像得懂事許多，他們只是沒有語言，無法告訴我們而已，但是他們有許多其他的方式可以讓我們知道他們的喜好。帶孩子一個最基本的原則是——假如他一直哭，就是有不對勁的地方，應該要停下來檢討一下。比如說，剛出生的嬰兒如果把他從胳肢窩處撐起來站，他會讓你這樣做，不抗議（有人認為撐起來時，先出右腳，以後就是右利的孩子，這是沒有根據的），但是到他長到一個月大時，他便不肯再這樣做了，但是如果把嬰兒泡在澡缸裡，撐起來，他又肯了，這是因為嬰兒出生後便急速增胖，但是膝蓋的軟骨尚未成熟，無法支撐體重，如果把他硬撐起來站著，膝蓋會痛，所以便會哭鬧；但是，泡在水中因為有浮力，幫助他減輕體重，膝蓋不痛，他自然又願意了。所以嬰兒雖然不會說話，還是有很多溝通的方式。其實大人也是一樣，我們也是知道的比我們嘴裡能說出來的要多。

心理學上曾有個很有名的實驗讓我們看到這個現象。研究者請美國受試者來實驗室判斷他喜不喜歡某個中國字，受試者都覺得很好笑，因為他們並不認得任何一個中國字，但是看在實驗者盛情難卻的面子上，都勉為其難的答應了。受試者以為他們是隨機亂按「喜歡」或「不喜歡」的鍵，但事實上並不是，因為實驗者在每個中國字出現之前，先短暫的出現一個笑臉，這個笑臉出現的時間短到受試者完全不自覺（大約千分之三十秒左右）。結果受試者的反應會依照這個短暫的提示而有顯著的不同。本來隨機按鍵，喜歡或不喜歡的機率是各50%，但是如果前面先出現了笑臉，這個機率就提升到78%；當然，如果先前出現的是哭喪臉（嘴角往下），則受試者偏向按下「不喜歡」的按鍵。這個實驗把前面原先配上笑臉的中國字，現在配上哭臉給另一組人看，結果，同樣的字卻因為前面出現的提示不同，而得到不同的反應。

這個實驗讓我們看到所謂的第六感其實是沒有進入意識的訊息，我們平常眼睛收進來的訊息，遠超過能通過「注意力」的瓶頸而進入到我們意識界的訊息，這些沒有進入意識界的訊息，還是會左右我們的喜好和選擇。難怪外國有句諺語：「小事依腦（理智），大事聽心（直覺）。」當你不知道該怎麼做，而這件事對你來說很重要，便請依照你的「心」去做吧！

6 不當的情緒發洩法

173 不當的情緒發洩法

曾在報上看到政府舉辦親子「大聲公」比賽，想藉著大聲吶喊來發洩自己平常積壓已久的壓力及怒氣，得獎者張大嘴，眼球突出，血脈賁張的鏡頭，令人難忘。我認為這是一個非常錯誤的示範，不應該讓孩子從小養成不如意就大喊大叫的習慣，因為大喊大叫是「失態」，對別人是耳朵的污染，對自己則是聲帶的傷害，對大人更是危險的動作，因為研究發現，衝動地將情緒發洩出來的人，反而易成為冠狀動脈心臟疾病的危險群，因為大喊大叫、用力搥打會使心跳加快，血壓升高，對心血管疾病患者不利。同時，它會激發我們負面的生理情緒反應，使我們更加憤怒，相信很多人都有過這樣的經驗——越打越氣，越叫聲音越大。依照心理學泰斗艾克曼（Paul Ekman）的情緒理論，你的負面情緒不但沒有發洩，反而因為緊繃肌肉的生理回饋而更增高負面的情緒。

外界刺激進入大腦的視丘後分成兩條，一條是快而短到掌管情緒的杏仁核，另一條是長而慢到大腦皮質前葉，以老鼠來說，前者是十二毫秒，後者為廿六毫秒，整整慢了一倍，所以我們常會在看到草叢中有東西時，先跳起來往回跑，跑一半才發現是水管，不是蛇。這立刻採取反應的就是杏仁核的作用，一個模糊不清但可能有生命危險的訊息送到杏仁核時，它立即採取「三十六計，走為上計」，逃了再說的行動，不然可能活不下來成為我們的祖先。慢而清楚的訊息送到了皮質後，皮質立刻與過去儲存的經驗相比較，判斷它可能是一條綠色的水管，於是我們就會停住，回過身來，再仔細看一眼，確定不會傷害我們後才走開。

但是假如我們用力搥打、摔東西、喊叫，皮質不斷接收到肌肉緊張的訊息，它就會不停地傳送這個負面訊息到杏仁核，杏仁核就會繼續送出緊急反應的訊號從腦幹而下，要求身體各部位備戰，於是身體立刻停止食慾與性慾，心臟努力加班，血流快速運送，肺部用力呼吸，以進來更多的氧氣，這一切負面行為會不斷增強我們負面的認知，而負面認知就會送出訊息去做負面的行為，這個回饋迴路一旦形成，人就會失去理智，所以會有「殺紅了眼」這種形容詞出現。

情緒受到生理反應和情境的影響，在心理學上曾經有個非常有名的實驗，實驗者將腎上腺素注射到受試者體內，使他心跳加快、呼吸急促、身體發抖，但是受試者並不知道打的是什麼，還以為打的是增進視力的維他命A，結果受試者的情緒會因為在等待檢查眼睛時候診室中其他人因說笑顯得快樂，而報告自己也感覺很快樂；或因為別人等得不耐煩很生氣，而報告自己也很生氣。也就是說，受試者會把自己生理上的反應歸因到情緒上，認為自己心跳是因為憤怒或快樂的原因，而這個情緒又受到周邊環境因素的影響，所以情緒是和生理、認知有密切關係的。

因此，當我們用力搥打、大聲咒罵時，我們不但沒有宣洩情緒，反而使情緒更壞，同時有引發心臟病的危險，這實在是一個不足取的排解情緒的方式，尤其不宜由政府主辦，全民推動。

7 有動機，就能快樂的學習

多年前，我們在做失語症研究時，遇到一個中風的病人，她可以聽寫，卻無法讀她剛剛所寫的字，這在臨床上叫做失讀症但無失寫症（alexia without agraphia）。她是中風後，由視覺管道進入心理詞彙的神經迴路斷了，所以無法讀，但是由聽覺進去的路還完好，所以可以聽寫。因為通常「讀」「寫」是聯在一起的，一個不會讀書的人也不會寫字，而這位太太覺得自己既然會寫，怎麼不會讀呢？她很不甘心，所以就在空中一直畫著筆順，幾分鐘以後，她說：「好像是『國家』的『國』。」她答對了，我非常驚訝。沒想到小學一年級老師教我們識字時，在空中畫的筆順竟然也是進入大腦心理詞彙的一條路。

最近我們用核磁共振儀發現，在辨認漢字時，除了視覺皮質和梭狀迴（fusiform gyrus）有活化之外，另外左腦枕葉、頂葉與顳葉交接的上緣迴（supramarginal gyrus）區也有活化的功能，這是閱讀拼音文字所沒有，也就是中文書寫筆順的地方。

看到了行為在大腦中的機制真是令人興奮，也很佩服孔子雖然沒有大腦的知識，但是在教學上所用的方法都很符合神經學上的原理，例如孔子說的「溫故而知新」，現在知道資訊和知識在大腦的意義上是不相同的，一個新的資訊進來，一定要和舊的、原來的知識架構掛上鉤，找到它應該放的位置，這個資訊才能保存下來成為自己的知識。「學而不思則罔，思而不學則殆」也是同樣的道理，沒有經過思考的知識是片段的死知識，學了很多也沒用，因為情境一變就不會用了。所以「青春不留白」這句話是錯的，人一定要替自己留些思考的空間才行。

如果中國字的筆順那麼重要，現在小朋友常不耐煩，不肯好好學筆順時該怎麼辦呢？我以這個問題就教於小學教師，結果發現我們的老師個個都很有創意。有個老師把班上小朋友分成幾組，每人發一枝不同顏色的彩色筆，老師念一個字時，小朋友要輪流上台，一人一筆，依序儘快地將這個字寫出來。因為每一順序的筆顏色不同，每個人的筆劃必須一致，字的顏色才會一樣，這樣無形中就統合了筆順。她說小朋友會飛奔上台寫，假如有小朋友寫錯順序，下面的人會急得跳腳，大喊：「你把我的筆劃寫掉了。」老師在比賽前給予五分鐘的練習時間，所有小朋友都努力的學，很快就把筆順學會了，而且學得一點都不吃力。

聽到這裡，我真覺得一個好的老師一定要是個好的心理學家才行。事實上，任何一個跟人有關的行業，都跟心理學有關，因為人的意念主導著行為，因此要改變一個人的行為，最好的方式便是從他的心理著手，使他自己願意改變；教育尤其是這樣，只有主動的學習才可以改變大腦神經的連接。

這位老師抓住了學生分組競爭時好強的心理，用比賽的方式提升學習的動機，一人一枝不同顏色的筆是責任的分屬，當這個字寫完，它的顏色跟別人不一樣時，馬上就知道筆順錯在哪裡了；把一件事的責任劃分清楚時，效果就會很好，因為有同儕的壓力。這位老師真的是位好的心理學家，我自嘆不如，也感到教育的精髓真的就在帶出孩子的動機，有了動機以後，學習很自然的就變成是快樂的學習了！

8 獵人與農夫

我父親作忌時，有位很久不見的遠房堂弟來上香，他現在事業有成，特地來謝我父親當年替他說情使他得以上高工，成就他現在的事業基礎。

原來這位堂弟當年是個注意力缺失的過動兒（ADHD，不過當時沒有這個名詞），我記得他坐不住，被祖母說屁股尖，又喜歡東張西望，打破沙鍋問到底，我們都不喜歡跟他玩，但是我父親注意到他對有興趣的東西可以非常專注，沒有人教居然會修我母親勝家牌的縫紉機，所以雖然他在學校功課不好，父親仍然跟堂叔說讓他去考高工。看到他，我想到現在對ＡＤＨＤ的看法真的是很不一樣了，以前是把他們當壞孩子看待，現在曉得是大腦的關係，尤其最近有個「獵人與農夫」的理論，認為ＡＤＨＤ其實沒有毛病，只是生錯了時空，現在所謂注意力缺失者的特徵——容易分心、衝動、冒險性強——其實是遠古打獵採集時，生存必要的特徵，是人類進化到農業社會以後，這些特徵才變得格格不入；也就是說，他們是「獵人」，但是要在「農夫」的社會裡討生活，所以就被視為異類了。

這個理論說一萬二千年前左右，人類走向農業社會開始定居下來之後，環境的改變使得過去的長處變成現在的短處了。在遠古時代，如果不眼觀四面，耳聽八方，那麼早就被其他動物吃掉了，不可能成為我們的祖先；如果看到事情發生不馬上採取行動，而是三思而後行的話，也是變成別人的晚餐，活不到成為我們的祖先。

而現在學者把ADHD的人叫做有愛迪生基因者，不認為他們有病，因為愛迪生念小學時，被老師認為無可救藥，叫他父母領回家，免得干擾別的孩子上學，但是愛迪生是有史以來，專利拿最多的人，他發明的電燈使我們現在可以在夜間賽球，不必秉燭夜遊。愛迪生基因者的特徵是思想跳躍、容易分心、精力旺盛、沒有條理、不耐煩、易衝動、很外向、敢冒險、會發明、有創造力，而且通常還有領袖魅力。當我們把ADHD的特性從病症的觀點和從獵人的觀點來兩相比較時，他們不是病人的證據就立即可見了。他們注意力很短，但是對有興趣的事物可以專注很久，這不是和獵人要一直不停搜索四周，一旦發現獵物就馬上集中注意力然後追蹤下去相同嗎？

他們組織能力不強，沒有條理，很衝動，想到什麼做什麼——獵人不就是看到獵物得馬上拔腿就追嗎？拘小節的人常不能隨機應變，井然有條的人常易故步自封，守成不變；他們沒有時間觀念，不知道做一件事要花多少時間——這其實是表示有彈性，一個人的心意如果隨時可變，那就不需要知道時間，因為一旦變了，原來知道的也就不準了，時間觀念是農業社會以後才變得重要，到現在仍有很多狩獵民族的時間是用概算，大略估計而已，因為時間對他們的生活並不重要，打到獵物才是重點，上山打獵是打到獵物才下山，沒有說時間到了就回家的；他們容易不耐煩，不能聽從老師的指示——這其實是獵人獨立行事的特性。

總結起來，如果我們願意換一個角度來看他們，他們並沒有毛病，只是現在的教育制度把他們綁得死死的，不符合他們的天性罷了，因此只要給他們機會，讓他們發明、創新的長處得以發展出來，他們就可以成就一番事業。看到堂弟現在這樣，很替他高興，在多元的社會裡，每一個人都應該找到一片屬於他自己的天空。

9 用日記開啟溝通的道路

之前去柏林開會，在中間休息時，一位朋友走來向我道謝，原來她有一個患有艾斯伯格輕度自閉症的兒子，這個孩子智商正常，但人際關係不好，堅持固定的做事方式，不可改變，缺少彈性與溝通，常常無緣無故大發脾氣，滿地打滾，哭喊到氣接不上來，臉色發紫，讓這位母親非常頭痛。因此平常朋友們聚會時，她都不敢帶孩子出來，怕會難堪。

有一次系裡舉辦迎新野餐，在風景勝地，她就帶了兒子去，結果不知道為什麼孩子大發脾氣，用頭撞樹，把大家嚇壞了。我因腳不好，沒有像別人一樣去打球，坐在地上，因此觀察到這個孩子表情很痛苦、很挫折，好像別人都不了解他，有滿腔的憤怒。突然之間，我猜到他為什麼這麼生氣了。

我記得剛來美國時，英文不好，詞不達意，常引起誤會，不敢跟人說話，也很氣自己能力不行，心中很不愉快，充滿挫折感。幸好我還可以用中文正確地表達我的意思，所以那時我每天晚上寫日記，一方面抒發心情，一方面檢討白天犯的錯誤，讓自己說話時不再犯第二次錯，因此每次寫完感覺都好很多，可以安然入睡。所以我就建議他母親讓他寫日記，學習用筆把心中的感覺說出來，因為寫的時候沒有時間的壓力，不像對話必須快快的說，他就可以慢慢的想他想要說的話，練習正確的寫出心裡的感覺，等熟悉了文句以後，再練習用說的方式把感覺說出來，別人就可以了解了。

他媽媽說，一開始很困難，孩子不肯寫，她必須跟他一起做，表示同甘苦共患難，而每天改他的日記都是不知所云，但是很快她就發現孩子內心的感情豐富，只是缺乏一個宣洩的管道，因此她一個字一個字的教孩子如何表達情感，告訴他要述說一件事情必須要有背景脈胳，前因後果，別人才會懂，如果突如其來的爆出一個字，別人是無法了解的。這樣教了一年以後，孩子發脾氣的次數減少了，而且寫作的能力也大幅提升，交到朋友以後，這個孩子的世界突然開朗起來，跟以前完全不同。她說她這次出來開會是多少年來第一次，因為以前都不敢離開孩子，怕會出事，現在才敢，我聽了也很高興。

不被別人了解的確是很痛苦的事。人天生有溝通的欲望，如果把兩個不懂手語的聾兒放在一起，久了他們自己會發展出相互溝通的手語。耳聾是老年人最大的痛苦，別人講話他聽不見，無法對談，寫字的速度又太慢，不是良好的工具，牛頭不對馬嘴次數多了以後，別人便閃躲他，而被孤立的痛苦常使老人家選擇用自己的手結束生命。我們常忽略人有想說話的這個天生欲望。

現在的研究發現，自閉症者大腦的神經迴路有一些跟我們不同的地方，他們常只能注意一個管道的刺激，無法一心多用，而且注意力一旦鎖住後便很難移動，無法快速轉移，因此常會遺漏別人臉上的表情或說話語調所帶出來的訊息，但是書面溝通就去除了這個缺點，它是單一向度而且閱讀的速度自己可以控制，訊息不會因為來不及處理而流失。

中國人常說「山不轉路轉」，如果這個方式行不通，我們應該換個方式去試試看。這個例子或許可以讓我們不要局限於傳統的方式，試著用另一個管道去打開孩子的心。

10 不要剝奪孩子的童年

一個星期天早上，去同事家還書，看見他太太在教小學一年級的兒子寫字，這孩子顯然手臂的小肌肉尚未發育完全，寫字非常辛苦，緊緊捏著筆，生怕筆跑掉，頭彎到幾乎貼到桌面，用力的寫，但是線條總是畫不直，母親一再叫他擦掉重寫，還是歪歪扭扭，不禁大怒說：「講不聽，那就不許擦！讓你這個樣子交上去讓老師打。」小孩子嗚咽的說：「為什麼不許擦，不許擦，鉛筆頭上為什麼要有橡皮擦？」一句話說得大家都笑起來，連他媽媽也笑了。我聽了卻有些感慨。

每個孩子發育的快慢不同，晚成熟的孩子在這制式化的社會常會吃很多虧，很多家長迫不及待的要他們的孩子做小大人，會背經、會寫字、會心算……其實這些都是不必要的。在五歲以前，老師跟學生的比例應該是零，根本不需要老師。小孩子的天職就是玩，儘量的玩，遊戲帶給他的好處遠比讀書寫字來得多。

從神經發展上來說，五、六歲之前是個很重要的內隱學習時期，孩子眼睛一睜開就在學習，甚至連睡覺時也在進行學習；透過現在的研究已經知道，大腦在作夢時，是去蕪存菁的在整理收進來的訊息。孩子出生時，大腦中的神經元遠超過實際需求的量，所以大腦必須把無用的神經元修剪掉，以節省能量；凡是跟其他神經元連接而形成迴路的就不會被削剪，但落單的、跟其他神經元無關的就會被淘汰。童年正是神經連接最重要的時候，因此愉快的去學習以後一生所要用到的神經結構，是件很重要的事。我實在不忍心看到大人用「為你好」這個大帽子，而剝奪掉孩子的童年。

其實人謀生的方式有很多種，不是一定要念建中、台大才有飯吃，吃飯也不是非山珍海味才有味，做自己要做的事最重要。有句廣告詞說「不要輸在起跑點上」，那是句非常錯誤的話，因為人生不是百米衝刺，而是馬拉松，是看體力、耐力和智力的，起跑點的輸贏根本無足輕重，因為跑馬拉松的人都知道，一開始衝太快，後繼無力時，前面的衝刺都是白費。我們應該利用童年時神經的可塑性，替孩子建立良好的生活習慣，如飯前洗手，飯後刷牙，有東西吃與朋友分享，朋友跌跤上前攙扶，過馬路時手牽手等等，這些好習慣會使孩子一輩子受用不盡。

我們尤其不可忌諱孩子犯錯，一犯錯就要打是不對的。從神經上來看，犯錯幾乎是不可避免的，因為我們的神經迴路是要靠回饋來做修正的。每做一個行為大腦的神經迴路都會修正一次，使它變得更熟練，如果小學一年級做功課就已經哭哭啼啼了，他以後漫長的求學路該怎麼走呢？其實以人生來講，過程遠比結果重要，只要盡力了，就不必苛求結果，何況時間到肌肉成熟後，孩子的字自然會漂亮起來，但是動機與態度破壞了以後，要彌補就困難了。精神科醫生都知道恐懼症的病人很難治，因為病人嚇到了以後就從此不敢再試，所以永遠不知道恐懼的原因已經消失了，就永遠的害怕下去。

我認為小學一年級的孩子只要養成做功課的習慣，知道老師規定的功課應該要做完就好了，父母不必很在意字寫得漂不漂亮，反倒是有無認真做功課的態度，比較需要父母的關注，因為認真做一件事是良好的習慣，需要從小培養，長大才會敬業。

世事在變遷，我們的觀念也要隨著更改。假如我們換一個角度來看，便會發現每個行為都有值得稱讚的地方，像那個孩子這麼努力的做功課就是值得稱讚的事，應該鼓勵他繼續寫下去，不要否定他。

11 一條丟不掉的大浴巾

朋友帶她的孩子回台省親，我們這群昔日同學請她們吃飯洗塵，席間大家談起這個孩子小時候一條破舊浴巾不肯離身的往事，無論醒來、睡著、遊戲或吃飯，都得拖著這條大毛巾。有一次他外婆來探親，清房子時把它扔了，結果天下大亂，孩子哭個不停，第二天只好動員大家去垃圾場把它找回來。他媽媽說這條浴巾一直抱到他念完博士、找到事、買了房子安定下來才漸漸鬆手，我聽了，有點猜到他為什麼一直需要這條毛巾，便悄聲問他：「是為了安全感嗎？」他想了一下說：「不知道，只覺得這條毛巾是跟過去日子的聯繫，沒有了它好像沒有根一樣。」我想起他小時候，母親是單親在美念博士，找不到好褓姆，常常更換帶他的人，而週末母親為了要趕實驗，也常送到各個朋友家幫忙看一下，因此他小時候的綽號叫「成吉思汗」，因為是遊牧民族：他有個旅行包，裡面有喜歡的玩具，一套換洗衣服及常用藥物，隨時準備好被送到不同褓姆家。

我以前有個同事在十五歲以前已經住過美國十一個州，搬過五十次以上的家，因為他的父親好賭，為了躲避賭債，常常連夜搬家。我們都很好奇他怎麼過得了這種吉卜賽人的生活，他說他母親買了一整匹迪士尼卡通人物花紋的布，不論搬到哪裡，他臥室的窗簾都是同一個花色，睜開眼，看到是同樣熟悉的窗簾，他就不覺得自己又在一個新的環境中了。當時聽了沒怎樣，現在回想起來這個母親真是最好的兒童心理學家，懂得一定要給孩子安全穩定的環境，如果做不到這一點，也一定要有個穩定熟悉的物品來替代。這個媽媽除了提供她自己作為穩定的磐石外，也儘量使視覺上最大的傢俱——窗簾——保持不變，給孩子一個維繫舊日生活的憑據，使生活有連貫性。那些以旅館為家，在世界各地奔波作生意的台商，心中深處那種浮萍、沒有根的感覺，大概是由於每天住的旅館都是陌生的裝潢，雖然豪華，卻沒有熟悉感。

原來所謂「家的感覺」就是一個跟過去有關的熟悉感——熟悉的沙發、熟悉的窗簾、熟悉的大浴巾，它代表著自己的歷史。我也終於了解了爸爸書房抽屜裡那一包泥土是什麼（我們小時候看到大紅盒子裝了一把泥土都很好奇，卻沒有人敢問，因為不敢承認自己有偷開爸爸的抽屜），那是家鄉的土，一個爸爸熟悉的東西，它給離鄉背井、赤手空拳打天下的人一個心靈的憑據。

人如果不知道自己從哪裡來，就不知道將往哪裡去，難怪孔子很討厭「數典忘祖」的人。其實歷史是存在於我們的血液中，無法否認的。科學家分析我們細胞中的粒線體追蹤畫出了人類遷徙的路線，從Y染色體的比對中知道蒙古人西征七百年後，成吉斯汗現有一千六百萬個子孫。科學對「慎終追遠」帶來了新的意義，也讓我們看到歷史是切不斷的，人的生活必須要有連貫性，人生才有意義。

12 恐嚇是最卑鄙的教育

五月九日的中時生活版「教育線上」刊登了一篇日本人森昭雄所著《小心電玩腦》的書摘，標題為〈電玩世代孩童的大腦危機〉，裡面說玩電玩的孩子前額葉神經元活動會降低、β波消失，最後變成電玩腦，然後列舉一些健忘行為來支持電玩腦的說法。我看了非常驚訝，這與國外研究的文獻以及我們在實驗上所看到的完全不符。

我個人不打電玩，與電玩業也沒有任何利益瓜葛，但是不實的訊息會造成父母的恐慌、親子的衝突，就像二十年前台灣所流行的右腦革命，雖然科學上已經屢屢聲明那是完全錯誤的——人的兩個腦半球有胼胝體相連，訊息不可能只激發右腦，而不讓左腦知道；但是直到今天，坊間還是有很多潛能開發班在鼓吹開發孩子的右腦，因此有感必須站出來駁斥不實言論所可能造成的恐慌。

關於電玩對孩子的影響，有正、負兩種說法，中央大學網路學習科技研究所有一篇碩士論文對此探討得很清楚。但是在諸多負面影響中，並無大腦退化、β波消失的證據，孩子會沉迷電玩最主要是電玩遊戲有減壓的作用，使孩子暫時跳脫生活上的壓力，到一個虛擬的空間去逞英豪；此外它也有醫療作用，一九八七年有報告指出，癌症病童藉著打電玩減少化療的噁心程度，而現在也有很多研究是利用電玩來治療注意力、專注力及記憶的缺失。這些報告都與森昭雄所說的正好相反（見Larose等人在一九八九年的研究以及McSwegin在一九八八年的研究）。

目前，已累積了數十篇論文顯示，電玩可以增加視覺選擇注意力及問題解決能力，他們發現電玩者透過觀察、假設、嘗試錯誤而找出遊戲規則，因而增加數學符號表徵性質（一種高度的抽象能力）的了解，學習到組織策略（注意力集中、自我評估及自我監督）、記憶策略（組塊、想像及有結構的複習）及正確的猜測，最主要在生理上完全沒有森昭雄所恐嚇父母的大腦退化證據，反而是看到電玩遊戲增加大腦紋狀體（striatum）中多巴胺的釋放。多巴胺是個重要的神經傳導物質，與學習、行為和感覺運動有關（帕金森氏症就是多巴胺不足）；此外，打電玩與智力測驗中的瑞文氏空間推理測驗有高相關，打電玩的孩子在測驗上都遠高於不打電玩者，他們在類比（analogy）能力上也強很多。

我們觀察到打電玩的孩子並沒有閱讀使用手冊，而是直接以實作方式聯結他們過去的經驗，透過立即回饋來學習。這種學習方式其實可以激發大腦的學習動機以獲得成就感，因此美國已有很多學校對學習障礙的孩子採用立即回饋的方式來教學。

一個遊戲如果很吸引孩子，一定有它的長處，我們不應該一味防堵、恐嚇，而是應該教孩子自制和自律。知名作家麥克・克萊頓（Michael Crichton）曾說：「恐嚇是達到效果最好的方式，卻是最卑鄙的方式。」父母親應該教孩子如何經營時間，選擇休閒的方式，同時學會平衡娛樂與工作。以台灣社會望子成龍的迫切心態，這篇書摘一定有很多父母剪下來貼在冰箱上，以此來威嚇孩子「再玩，大腦就要死了，連β波都不見了！」錯誤的資訊就像錯誤的政策一樣，傷害是深遠莫測的。我希望父母不要以洪水猛獸的態度來看待電玩，而能以同理心去誘導孩子學習自制與自律，任何防範要從心做起，才能釜底抽薪。

13 從手機氾濫看人的自信心

德國通訊社有一則短聞說，手機在歐洲氾濫，一個平凡的西班牙女孩擁有九隻手機，而且只要進入手機無法接訊的地方就會產生嚴重的焦慮症，現在歐洲的年輕人一個晚上可以發出二百封簡訊給不知名的朋友，因為是不見面的隔空聊天，容易編造故事，養成說謊的習慣，使父母非常憂心。有人把手機看成廿一世紀的毒品，因為它使青少年上癮而無法自拔。

我們台灣也有這樣的趨勢，捷運、火車上有人從上車講到下車，我認為對於流行的東西，父母硬要防堵是不可能的，而且若用高壓政策沒收手機、不給手機費等等，只會使孩子鋌而走險。我們看到有青少年為了一支手機而賣身，或為了付通話費而搶劫殺人，反而斷送一生。因此我們必須了解為什麼青少年如此瘋狂手機，而從根本處去改變這個行為。

最近的研究發現，大部分手機上癮者都是害羞、自尊心低、平時不易交到朋友的人，他們透過不記名、不見面的方式，創造出一個虛擬的自我來滿足自己的理想，這種沉迷方式與網路上癮是一模一樣的，只是手機可以聽到對方的聲音，有即時即刻線上的感動，而且手機輕巧，可以隨身攜帶，不需插頭，更加吸引年輕人。對這種沉迷的孩子我們要以同情的心態去了解，從培養他的自尊心、自信心著手，讓他看到自己的長處，也讓他看到消耗寶貴的光陰和父母血汗錢的不智。孩子只有在找到被認可的長處之後，自尊和自信才會出現，也就不需要去追求虛擬的掌聲。

過去我們常說「從哪裡跌倒，就從哪裡爬起來」，其實這句話是不對的，我認為這裡跌倒，就應該換個地方爬起來。通常孩子會跌倒多半是他跟不上人家的步伐，不擅長這項技術，做得不夠好，才會跌倒。如果我們還是要他在同一個地方站起來，就像明知這個山坡滑，孩子才溜下來，卻逼著他爬同樣的山路，不是使他更跌得鼻青臉腫嗎？上山的路有很多條，為何不能走別條路？我們的目的不過是達到山頂，只要能到達山頂，任何一條路都應該是好路。鄧小平不是說「只要會捉老鼠，花貓白貓一樣是好貓」嗎？強迫孩子哪裡跌倒哪裡爬起來，只會賠掉孩子的自信心，使他覺得不如人，頭抬不起來。

研究發現，手機或網路沉迷者都是家庭關係疏離或在校人際關係不良者，也就是一群寂寞的孩子，得不到友誼和親情，只好去虛擬中追求。我們如果願意把眼界放大一點，不局限於學校國、英、數的表現，我們自然會看到孩子的長處。人生絕對不只溫飽兩字，心靈的滿足遠大於肉體的滿足。我們養育孩子不是要他替我們爭光榮，而是希望他活得愉快，把我們的基因傳下去。如果我們看清楚養兒育女的極終目標，我們就不會斤斤計較於他考試的分數或段考的名次。試想，千百年後，誰會記得你考過一百分呢？我們只要看到現在檯面上的人物都不是功課最好的人，就知道逼功課是沒什麼意義的。

手機氾濫是件嚴重的事，但是請不要用沒收手機或打罵的方式去制約這個行為的出現。請從根本做起，把時間和精力花在陪伴孩子上面；一個家庭很溫暖的孩子，是不會去外面尋找替代品的。曾經有人問電影明星保羅•紐曼，他為何可以跟瓊安•伍華德結婚三十多年而不鬧桃色新聞，他反問道：「如果你家裡有牛排，你會去外面吃漢堡嗎？」

防堵是最沒效的青少年管教法，只有使他心悅誠服，行為才能得到改變。

14 從溜鳥事件看品德教育

之前的長庚溜鳥事件掀起軒然大波，我仔細看了一下各方的說詞，發現大部分都沒有講到重點，因為這次事件反映出來的其實是大學生精神層次的空虛貧乏，與做人做事上的不成熟。溜鳥本身是個胡鬧、膚淺的行為，但是它背後的品德教育失敗，是值得我們去檢討的。

我離開台灣去美國留學時，父親交代「一不可賭，二不作保」，因為這兩件事都是主控權不在己的事，所以不可以做。從小父親就一再告誡我們不可賭，連打賭都不可以，因為世事無常，人生沒有什麼叫做有把握的事。父親解釋為什麼中國有句諺語叫「煮熟的鴨子飛上了天」，他說這句話雖然粗俗，卻很傳神，如果連煮熟的鴨子都還會跑掉，可見世界上沒有完全有把握的事，而沒有把握還去打賭，那就是不智，更何況像球隊的輸贏那種完全不是操之在己的事，更不能賭。所以我一輩子不敢心存僥倖，妄想幸運女神會站在我這邊。我父親雖然不知道什麼叫「墨菲定律」（Murphy's Law），但是他知道什麼叫機率，只要有出錯的機率就會有出錯的可能。

現在醫學上知道賭與基因有關，有人很容易上癮，有人不會，這跟他大腦中報酬／快樂中心的多巴胺系統有關，也跟基底核中的尾狀核有關，所以父親認為不可以製造賭博環境，引誘這些身不由己的人沉淪。很多人以為打賭是「無傷大雅」的事，我父親從來不這樣想，賭就是賭，不分大賭和小賭，打賭本身就是不智，它代表你不夠理智，會被同學激將，說出不該說的事；父親說如果真的被逼，也只能賭自己能力之內的事，千萬不可陷自己於不義，那是自作孽不可活。我曾經有個女同學，很喜歡講一句口頭禪：「如果不是怎樣，頭給你好了。」父親聽到後非常不喜歡她，不准我跟她做朋友，因為頭是不能給的，父親認為這位同學說話沒有誠意，所以不准我跟她交往。至於去執行打賭的誓言如溜鳥，父親認為那是一錯再錯；打賭已是不智，再去做犯法的事（如裸奔），那不是誠信，而是雙重不智。他說，假如你打賭一件犯法的事，輸了就去做，那不是明擺著斷送自己的前途嗎？不能因為誠信之名，將一件犯法的事變成合法。

看到以前的人對自己的一言一行要求得這麼嚴謹，再看到現在檯面上的人物出爾反爾，強辯硬拗，真讓人感嘆。上樑不正下樑歪，當美國的政治人物口出穢言會被罰款，而我們的議員口出穢言仍沾沾自喜草根性很強時，我們做老師的怎麼去教品格與道德？這次溜鳥事件本身並不重要，那是年輕人胡鬧，但是年輕人為什麼會拿自己的身家名譽去胡鬧？念到大學還連這點道理都不懂時，便值得我們注意，不可把它當作偶發事件，應該正視它，檢討我們的大學教育。我曾在碩士班口試上看到有學校開「外遇心理學」的課，不禁好奇地問這位學生「你父母知道他辛苦賺的錢是給你上這種課嗎？你為什麼要去選？」結果答案是：這門課看看電影而已，最低分九十分，因此大家趨之若鶩，他本人靠著這門的九十八分把總平均拉了上來。

希望這次溜鳥事件能讓我們看到品德教育與大學教育的危機，不要等閒視之。最近腦海中經常浮起林則徐《禁煙書》的「天下無可用之士，無可用之兵」，當兵不可打，士不可用時，請問，我們國家的前途在哪裡呢？

15「裁併小校」的省思

報紙上曾有好幾篇討論偏遠地區小學是否關閉的文章，大部分是從經濟的觀點來看，裁併後可以節省多少錢，但是我們卻忘了，教育的精神在給予同樣的受教機會，讓部落、偏遠的小孩可以就近上學，不必每天花一個小時坐車上下學。我想，趕交通車的辛苦，是有司機接送的監察委員們所不能體會的，而那種早上起來十萬火急，一切不顧先出門的情景，我自己過了四十年都還記得，也有同事抓公事包錯抓兒子勞作盒的糗事。

我們都知道，孩子早上通常比較貪睡，尤其單親或隔代教養的家庭，如果沒人叫孩子起床便常會遲到，萬一晚起了，孩子因為沒有交通工具就只好不去上學，一次、兩次不去上學後，就很容易變成中輟生，因為再去，功課已經趕不上了，既然家中無人輔導又無法留校接受課後輔導，人的惰性就會使孩子放棄。然而，一個中輟生的社會成本，據美國凡德比爾大學（Vanderbilt University）計算出來的，是一百三十萬到二百五十萬美金（蓋監獄、請獄卒、加害人與被害人一生的生產力及精神損失等等），這豈不是因小失大嗎？

把孩子用校車載來運去有很多缺點，第一是浪費孩子的時間：通學減少孩子應該睡眠和應該遊戲的時間；第二是剝奪他交朋友的機會：週末校車不開，孩子如何下山去找他的朋友一起玩、一起做功課？沒有共同經驗的孩子是很難成為好朋友的；第三是對他不公平：美國經濟學家爾溫・克利斯朵（Irving Kristol）說：「民主並不是保證一切公平，但是它保證機會的公平。」裁併小校對偏遠地區的孩子來說，是機會的不公平，他沒有機會享受到忘了作業可以跑回家拿，放學可以一起排路隊走回家，週末可以一起玩的機會。平地孩子有的，山地孩子也應該要有，至少要有這個機會。何況通學不安全，它增加孩子出意外的機率，並且剝奪課後老師輔導的機會。

童年時，遊戲是件很重要的事，它讓你交到終身的好友。一般來說，童年遊戲的玩伴多半是同村同校的孩子，因為彼此的共同點可以引起共鳴，例如被同一個老師打，要做同一種無聊的功課等等，都可以增加認同。但是假如念不同的學校，這時，就不是一起玩而是相互比較了。我們常看到隔一條溪的國小學生打架，雖然是同屬一個鎮，河東和河西是「不同國」的；小學生的認同跟大人的認同不太一樣，在那種年齡，「同一國」是非常重要的。

想到這些稚齡的孩子，一大清早要像我們童年時一樣，摸黑趕客運去上學，下了課其他同學相約去看電影、吃路邊攤，我們不能參加，因為必須去趕車，連留下來彩排運動會都不行，因為有些地方最晚一班客運是六點，那種恨自己父母不能幹，沒有錢不能住在城裡的心情，真是點滴在心頭，我實在不願意這些孩子再經歷一遍。

我們台灣不是沒有錢，只是不願花在弱勢孩子身上罷了。其實教育永遠是一個最高報酬的投資，因為我們不知道什麼時候會造就出一個人類的救星，但仍要請那些主張裁併的袞袞諸公，想一下民主的真諦，它是機會的均等，是先提供了機會，再看表現。當你的孩子可以就近讀書時，請不要強迫別人的孩子去通學，至少不要在小學的階段。小學生情緒、個性都還沒發展成熟，還很需要人性的溫暖與關懷，當我們正在盡力找回中輟生時，請不要再製造環境去產生中輟生。

心智的浪費是無法用金錢來衡量的，當我們一擲六千一百億買軍備時，想想歷史上，亡國的敵人大部分不是從外而來，而是內腐生蟲，敵人才乘虛而入。千萬不要捨人而就武器，因為再精良的武器也要人去操作！孔子說「人無遠慮必有近憂」，我們若只看到現在節省的人事成本，二十年後在街頭搶你皮包的，可能就是當年被你放棄的中輟生！

16 請杜絕污染的來源

過去在研究上，我們知道電視暴力影片與孩子現在（短期）及長大後（長期）的暴力行為有正相關，但是直到最近，研究者才用統計迴歸的方式將裡面的因素分離出來，結果發現電視暴力對孩子的影響有三方面：孩子從暴力影片中建立他對世界的敵意觀點；認同影片中主角的暴力行為；認為自己的暴力行為是大家可以接受的。看到這份報告，我很憂心台灣未來的主人翁，因為我們的確在校園中看到上述的影響，自從陳唐山部長把ＬＰ炒紅了以後，走在校園中不時聽到ＬＰ的聲音，這是以前所未曾有過的現象，而當老師規勸學生時，學生還理直氣壯的說：「外交部長可以說，我不能說嗎？校園有比外交場合更正式嗎？」電視不停的重複播放這件事，讓學生即使原來不使用ＬＰ，最後也堂而皇之的使用了。

而正當我們老師在努力滅火時，報上又登出議員一把將校長推倒在議會的圖片，而且是男議員推倒女校長，真是令人驚愕，讓人不禁要問：我們的人權教育、民主教育都教到哪裡去了？怎麼會教出這樣沒有水準的民意代表？難道我們的民意真的是如此低落粗俗不堪嗎？這份研究報告說，當孩子看大人用拳頭解決問題時，他會將這種訴諸暴力的解決方式潛移默化的存入腦海中，之後當他碰到挫折時，這個方法便會自然而然的跑出來，使他跟他父親一樣，用拳頭去解決問題，這是為什麼暴力犯家庭出來的孩子成為暴力犯的機率比平常人高29%。可見不良身教的影響是不可忽視的！

再說，議員以玉龍草、波斯草去質問校長這是何種植物，校長認為應該問生物老師比較清楚時，議員竟然衝上前將植物摔向校長，理由是校長都認不出來了，一般老師怎麼認得出來？這個道理實在不通！天下知識那麼多，人不可能全部都知道，所以韓愈才說「術業有專攻」，因此如果校長不是主修生物的，那不認得也是當然。議員的這個邏輯其實就是「官大學問大」的邏輯，以為做校長就應該比老師知道的多，其實校長應該是行政人才，他除了本科的知識外，其他科的知識並不需要知道得比專科老師多，但是他一定要有行政能力，有遠見，可以帶領學校往前走。議員先生把這兩種能力混為一談是腦筋不清楚，如果邏輯能力不行，如何能問政？如果是報載的關說不成而憤而打人，那就更等而下之、無法無天了。

連續幾天，報上都出現各種暴力的社會新聞，有刑警被人砍斷手掌事件，有肉票自行逃脫事件，有耕讀園黑道掃射事件……，從社會的亂象看來，「平安幸福」真是奢求，小老百姓出門戰戰兢兢，縱然被人撞到也不敢下車理論；孩子上學不但送到校門口，還得送到教室裡，因為在校門口也會被人抬上廂型車綁架；至於議員，我們只好怨嘆自己瞎了眼，選出這種人，幸好選舉快到了，可以用選票終結他的猖狂。

然而報告裡所談到的孩子會以大人的暴力行為為藉口，替自己的壞行為找到正當性（justification），認為暴力是可以被社會接受的，這點絕不能忽視。積非可以成是，眾口可以鑠金，假如我們今天不站出來譴責暴力，讓孩子知道這是不對的行為，久而久之，暴力就會像ＬＰ一樣，變成是可以被接受的行為了。當砍斷刑警手掌的兇手是新店開明商工的學生時，我們能再忽視社會暴力對年輕人的影響嗎？假如政府拿不出對策，我們就必須自力救濟，關掉電視，杜絕污染來源，並且以身作則，教導孩子正確的價值觀。

17 謊言充斥的網路聊天室

我住在一所中學的旁邊，一天早上七點不到，朋友就來敲門，說她剛送完孩子上學，突然心臟狂跳，覺得要發心臟病，所以先來我家喝口水，喘口氣。看她披頭散髮、衣冠不整的樣子，問她為何如此狼狽，她說她孩子有說謊的習慣，老師寫聯絡簿叫她注意，她把孩子找來問，孩子竟然理直氣壯地跟她說：「這很正常啊！每個同學皆如此，在這個世界哪有人用真面目跟人交往。」她想到社會上層出不窮的詐騙案，害怕她兒子以後就會是那種騙子，作姦犯科，關進監獄，擔心得睡不著覺，每天早上起來都舌乾唇焦，心悸，所以一大早就來敲門。我問她：「你的孩子上不上網聊天？」她白我一眼說：「現在哪一個孩子不上網？」這就是我擔心的地方了。

現在，有許多孩子沉迷在網路聊天室，以各種虛擬的身分與人聊天，久了成習慣，便忘掉自己是誰了。因為網路不具名，又看不見，所以很可以滿足孩子的虛榮心，編造一個理想的我，在網路上享受一下真實世界享受不到的榮耀與快樂，而這種虛擬的快樂連大人都會上癮。我有一個朋友每天晚上一定上網聊二個小時，她說比去看心理醫生便宜且方便，因為不必出門掛號，而她在網路中則化身為瓊瑤筆下的人物，享受一下當年我們念書時，嚴謹社會所不允許的被追求的感覺。她在說這些話時，很多人也附和她，每個人都講一些自己的經驗，大家笑得不亦樂乎，只有我覺得這種方式不妥，怕會玩火焚身。

小時候父親一再告誡我們交朋友要真誠，不以誠心交朋友就是欺騙，所以除非真心要交，不然不能花人家的錢，也不可以接受男朋友的禮物。每次報上有「人財兩失，憤而行兇」的新聞時，父親就念給我們聽，告誡我們不可以玩弄感情，因此我到現在還無法逢場作戲，也無法認同在網路上以假身分交朋友。

真誠應該是品德教育的一個基石，真誠的對待自己，不去羨慕別人，更不必化身為自己羨慕的人來騙自己及別人。人需要在真實世界中過日子，如果假戲唱多了，真假不分或弄假成真時，都是很危險的事。

心理學的研究發現，一個行為做久了會變成習慣，而習慣養成後很難改，一個習慣即使已經戒掉，三不五時還會「自然回復」（spontaneous recovery）又再出現一下，所以行為舉止一開始就要教對，改正一個錯誤的行為要花上十倍的力氣，還不一定改得掉。

現在這個社會固然是虛虛實實、爾虞我詐，但是人心目中仍然渴望一個不必擔心被騙、可以真誠交往的桃花源。社會支持（家庭、朋友、同事）是幸福感的第一要件，看到這些孩子從小就學會在網路上騙人，說話不算話，或是說一些不需要說的話，讓我覺得很擔憂。我不認為網路聊天是心理治療，我覺得那是禍源。人一定要面對自己才會平靜，只有心安，日子才會過得下去，假如我們的下一代認為說謊是正常的社交手腕，政治人物一天三變是可以接受的行為時，那這個社會要如何運轉下去？

第4篇

以書爲鏡，學習無止境

1 調適和同化的交互作用

《天性與教養》（*Nature via Nurture*，中譯本商周出版）是一本重要的書，觀念上革命性的書，所以雖然在接了中央大學認知神經所的所長職務，知道自己會很忙，我還是答應了這個翻譯工作，除了想趕快把它介紹進台灣外，我也很喜歡這本書，而一個人做自己喜歡的事就不會覺得辛苦，會很期待每天坐下來動筆的時間，所以我變得跟小孩子一樣期待放假，因為只有放假才能給我一段不受打擾的時光來做我喜歡的事。當然我沒有料到今年過年會如此的冷，在攝氏八、九度的天氣離開溫暖的被窩起來翻譯，是需要一番天人交戰的，而這本書就是今年春節年假的產物。鹿橋出版社的鄧維禎老友來我家拜年，進來一看便說「有夠亂！」當然，假如女主人一天十六小時在書桌前，屋子焉能不亂？

這本書的重要性在它舉了非常多實驗的例子，說服了你二千年來先天和後天對抗的觀念是錯誤的，先天和後天是個交互作用，彼此互相影響。二千年的觀念不是一夕一旦可以推翻得了，所以作者煞費苦心，從一張虛擬的照片開始：十二個留著大鬍子的人在參加一九〇三年國際會議後合影；這十二個人絕大多數不曾碰過面，但是他們的人類本質理論主宰了二十世紀的科學。他們的名字對一百年後的我們來說，如雷貫耳，而且影響力到現在還隨處可見。這種寫法真是很吸引人，圖片中的第一名是達爾文（Charles Darwin），他的進化論在經過一百年的浪淘沙後，仍屹立不搖，但是與進化論同期的幾個大理論，如馬克斯（Karl Marx）的社會主義理論，就已經煙消雲散了。第二個是達爾文的表弟高頓（Francis Galton），他的名字對心理學家尤其不陌生，他極力主張遺傳論，是先天派的代表。第三個是威廉・詹姆士（William James），他奠定二十世紀的美國心理學，是極少數美國本土所出產的哲學家，他有個同樣有名的弟弟，小說家亨利・詹姆士（Henry James），他們兄弟倆被人說「一個把小說當哲學寫，一個把哲學當小說寫」，我們會看到槍桿子雖然出政權，但是哲學家對後人的影響卻是在富貴榮華都消失殆盡後，仍然在人類兩耳之間盤旋。

第四個是荷蘭人狄佛瑞斯（Hugo DeVries），他是重新發現孟德爾（Gregor Mendel）遺傳定律的人。孟德爾絕對沒有想到，他在莫拉維亞修道院所做的那些碗豆實驗，會革命性的改變人類的生活，基因工程甚至改變了人類倫理。生物科技已成為新世紀的顯學，生命已經走到可以被設計的地步了，這一切都拜孟德爾之賜，人的功過不但要蓋棺才能論定，更要經得起時代的考驗。在歷史上，還沒有多少人能跟孟德爾平起平坐的。

第五個是俄國的巴夫洛夫（Ivan Pavlov），他雖然因發現胃的消化酶而拿到諾貝爾獎，但是他被後人傳誦的卻是他的古典制約理論，這個理論傳到美國後，造就了圖片中的第六人——華生（John Broadus Watson），他的「行為主義」理論壟斷美國心理學界整整五十年，而且對教育政策有決定性的影響，其後遺症到今天都還看得到。昨天的廣播還有父母叩應詢問小孩哭該不該抱起來，抱起來是否會增強他哭的行為；小孩是否一出生就得自己單獨睡，以增加他的獨立性。華生的傳人史金納（Burrhus Frederick Skinner）甚至替他的親生女兒黛比蓋了一個「史金納箱」，以他養老鼠、鴿子的方式去教養黛比。黛比一切作息是按照回饋理論來安排的，她只有在固定時間可以出來玩。歷史沒有記載黛比後來怎麼樣，我估計不會很好，她是一個被他父親以違反人性的偏激理論所犧牲的孩子。一項錯誤的政策真的比貪污還可怕，只是人似乎不能從歷史中取得教訓，台灣目前仍然持續在上演錯誤政策比貪污更可怕的例子。我很高興史金納並不在十二人之中，我不能想像一個會以「史金納箱」來教養女兒的人側身在偉人之中，雖然我不能否認他對美國心理學界的影響力。

第七個人是德國人克林普林（Emil Kraepelin），他可以說是精神醫學之父，我很欣賞他的墓碑：「雖然他的名字會被遺忘，他的研究會流傳下去。」（Though his name will be forgotten, his work will live on.）從這碑文中多少可以推測出他的行事風格，而風格決定成就。在他旁邊的是佛洛依德（Sigmund Freud），兩個人都對精神醫學有重大影響，尤其佛洛依德的心理分析理論更是主宰美國精神醫學一百年，到現在因為腦功能造影的技術發明，可以直接在大腦中看到神經活動的情形，同時也對前扣帶迴、海馬迴、杏仁核的功能有比較多的了解，他的光環才逐漸褪去，其中他對強迫性、同性戀的看法現在都知道是不對的，它們有生理上的原因，不再是罪惡感的轉型表現。

第九人是法國人涂爾幹（Emile Durkheim），現代社會學之父；第十人是鮑亞士（Franz Boas），也是社會學家，人類文化學開山始祖，他們的研究都左右了社會福利政策的決定。第十一人是瑞士人皮亞傑（Jean Piaget），他的發展理論對教育體系影響最大，雖然很多人再重做他的階段理論實驗後，發現他低估了孩子的能力，但是任何一本教科書在講兒童發展時，還是會從他開始。最後一個人是奧國的勞倫茲（Konrad Lorenz），因為他在動物生態學上的貢獻，拿過諾貝爾獎，是這張圖片中第二位拿到諾貝爾獎的人。銘印現象雖然很多人很早都有看到，但是他是第一個用系統化的研究來形成理論的人。明末清初時，台灣的朱一貴便是以雞鴨跟著他到處走，而宣稱他是受天旨來反清復明的。

這本書對這十二個人的理論和貢獻，尤其對後世的影響，有嚴厲的批判，這是這本書最有價值的地方，因為作者是從整體來看這十二個人對現代文明的貢獻，不像以前是從各行各業各個角度的眼光來看，給人「以管窺天」的感覺。現代的科學，尤其是腦科學，逐漸讓我們了解可塑性的意義。一個演化來的有機體是隨時隨地因外界環境的改變而不停的改變大腦功能的分配，大腦並沒有在青春期以後就定型，相反的，它是終其一生不斷的改變，而其改變的機制就是皮亞傑兒童發展的兩個主要機制：調適（accommodation）和同化（assimilation）。大腦會依外界需求而調整內部功能的分配：大腦結構影響有機體對外界的反應，外界需求也會改變大腦結構，這是一個交互作用，也是本書的精髓。

九二一地震後，受災戶曾經來榮總做創傷後治療，當時榮總已有3-T的核磁共振儀，精神科的蘇東平主任就請他們先照一張大腦當時情況的片子，經過一年不斷的治療後，再掃描一次，將兩張大腦圖對照起來比較，發現憂鬱症會改變大腦的結構，使神經核萎縮。最近也發現產後憂鬱症的母親要把孩子給別人帶，因為憂鬱症的母親無法對嬰兒做情緒上的回饋，雖然才十二個月大，嬰兒左腦前區的發展就已經不正常了。也就是說，大腦很多的結構是要外界適當的刺激才會正常的發展，就像人天生有語言的機制，但是它還是要有語言刺激才能啟動這個機制。

一個行為不是先天決定還是後天決定，它是先天和後天的交互作用而共同決定，它的機制就是調適和同化。這種例子在我們生活中常常看到，以前我們班上有位韓國僑生，他的舉止一切都像韓國人，甚至沒有開口講話也被認出是韓國人，但是來台四年以後就失去了韓國味。因為從演化中，有機體學會如果不儘量變得跟環境一樣，可能會減少基因傳下去的機會。他生長在韓國，他的眼睛所看到的外在環境會促使他不知不覺發展出韓國味，好使他跟國人一模一樣。最近的大腦造影研究也發現，一個大學生如果勤奮的練習拋接球（練到同時拋接三個球一分鐘不落地）時掃描一次大腦，再休息三個月後進入實驗室來掃描，發現大腦頂葉掌管空間運動的地方在大量練習時活化區域變大，三個月不練後又縮小，因此，這個實驗非常清楚顯示大腦會因需求而改變。

腦跟教育有很大的關係，我們常因「天生如此」而放棄努力，雖然一個觀念定型了很難改變，而且人習慣從自己的偏見出發去看事情，但我還是很希望這本書能用實徵的證據說服人們，尤其是老師和父母，不要輕易放棄一個孩子，不要因為他先天有所缺陷而放棄他。這本書告訴你，先天和後天是個交互作用，好好教，好好學，會有進步。人只要活著就有希望，有希望就能改進自己。（原載於《天性與教養》，譯序）

2 學校猶如一座飛機場

在台灣，有關發展方面的資訊很缺乏，當孩子行為跟別人不一樣時，父母不知道是管教上出了問題，還是他大腦有問題，那種求救無門的驚慌常讓人看了很心酸，因此《心智地圖》（*A Mind at a Time*，中譯本天下遠見出版）這本書的出現，可說是及時雨，解開父母很多的疑惑。本書作者是小兒科醫生，將他行醫多年所看到的問題，以個案的方式詳細呈現，讓父母可以按圖索驥，了解自己孩子行為偏差的原因，並同時附上治療的方法，使父母可以DIY。不過最主要的，是他給父母一個正確的信念：孩子本來就是獨特的，沒有任何一個心智必須藉由乞討去爭取原本就屬於他的獨特地位，父母必須懂得欣賞、尊重、肯定孩子的心智。

在台灣，因為對神經發展的功能與差異不了解，大人常把孩子功課和行為上的偏差歸因於懶惰、不上進、壞種（這是我所聽到最傷人的話），而隨意把孩子叫來當眾羞辱。「利刀割體痕易合，惡語傷人恨難消。」我們的孩子在成長的過程中，幾乎沒有人沒被當眾羞辱的經驗，尤其是所謂後段班的學生更是可憐，天天挨罵過日子。台灣的多元智慧提倡了這麼多年，父母師長的心態仍是一元，智育而已，我們一直無法打造出一個理想的教育環境讓孩子適性發展，也沒有一個正確的教育方針啟發孩子的智慧，我們到現在仍然不了解孩子離開學校進入社會時所需要用到的知識還沒有發明，現在逼他背那些死書是不必要的，如果他因此而對學習絕望，不再有興趣，那麼這個孩子就等於報廢了，一個沒有學習熱忱的孩子是不會主動去追求新知的。如果我們不改變教育觀念與執行方針，以後孩子會沒有競爭力，因為我們目前的教育是完全不符合時代的需求。

這本書的作者透過個案，點出很多他對教育的理念，我很喜歡他的一個比喻，他說學校好像是個飛機場，學生猶如乘客，來自四面八方，有著各式各樣不同的背景，學生進學校的目的就像乘客去搭飛機，欲啟程往他人生的目的地。每個人的旅程不相同，因此他的飛行計畫也不同，有人頻頻轉機，繞了一圈才到終點，有人搭的是直飛的班機，直接到達終點，這是個人的選擇，當然也跟他的財力有關，直飛的班機通常比較貴，但是有時及早訂位，也可買到便宜票。如果能從這個觀點來看孩子的一生，我們就不會對他苛求，因為機場只負責提供安全的飛機，不能強迫客人登機。乘客還是有主控權，我們不需打罵去強迫他登機，心不甘、情不願的上飛機，旅途也不愉快，但是老師和父母可以描繪終點的景色，使孩子嚮往，鼓勵他朝那個方向走去。

學校是一個提供孩子將來就業必備技能與品德的訓練所，飛機越新穎，設備越好，孩子的旅途越平穩，越愉快。我們若能啟動孩子的好奇心、向學心，那麼這一路上，他會努力看窗外的奇山異水，欣賞到很多人間美景，使他不虛此行；如果我們失敗了，那麼他可能一登機就睡覺，一路睡到終點，渾渾噩噩的過一生。所以我們若能認清教育的目的，就會同意學校應該是提供多重教育管道的地方，它應該提供長期的生根計畫，而不是急就章的科學競賽，以「為校爭光」的大帽子來增加「好學生」——「壞學生」之間的差距。學校應該以孩子個人的步調來設定學習目標，不公開批評學生的學習進度，將孩子分類，打入放牛班，最主要是學校要能提供老師和父母最新的神經發展知識，因此而改變並接受新的教育理念。例如，過去我們要求孩子國、英、算樣樣都得好，現在從神經發展上已看到每個人大腦的功能特長是不一樣的，孩子做不到樣樣好，因此現在的教育理念是鼓勵孩子去發展他的長處，希望他的長處將他的短處也提升起來。

這本書有很多新觀念，很值得父母老師好好的讀，仔細的想，尤其是第九章，如何幫忙孩子在學校裡人緣好，受到同學的喜愛，對一天花八小時，在同一環境中跟同一批人生活的孩子來說，實在是太重要了。讓同學喜歡最重要還是對自己的自尊與自愛，父母很早就得教孩子「以財交者，財盡而交絕」，絕不可以用金錢去買友誼。其實他在學校中所學的，就是以後他進入社會所要用到的人際關係技巧，因此這本書不但大人要看，甚至可以就個案中的情形跟孩子一起討論，讓孩子從同理心出發，學習他的人生技巧。（原載於《心智地圖》，序）

3 教育，永遠不會太晚

每次參加親子座談會，都有父母抱怨現在的孩子不好教，既不可以打又不可以罵，但是講又講不聽，不知道該怎麼辦才好。更有父母怨嘆自己的命不好，自己小時候要聽父母的，好不容易長大，成了家，有了自己的孩子，卻要聽孩子的，自己一輩子都在做孝子，以前是孝順父母的孝子，現在是孝順兒子的「孝子」。有一個媽媽說：「我一看《紅樓夢》就難過，賈母沒比我大幾歲，她卻有人前呼後擁的伺候，兒孫一日三次的請安，我想請個菲傭，勞工局不知跑多少趟，兒孫更是一年三節才見到面，進了門，不是他向我請安而是我向他問安，問他想吃什麼。」這些話聽了令人難過，我們該怎樣管教現代的孩子才會使他們成材呢？

我很高興現在終於有一本針對父母的訴求來，改進孩子行為與改善親子關係的書——《你那什麼態度啊?!》（*Don't Give Me That Attitude*，中譯本天下雜誌出版）。一個偏差行為的出現是有其原因的，孩子小的時候可能接觸到一些不良行為的示範，父母未察覺，沒有及時改正，所以本書中所描述的行為其實是已經到了不可忽視、必須立刻矯正的地步了。行為上的不當或是口語上的殘忍，都是必須立刻矯正，不然以這種行為或態度進入社會就業，一定會受到慘痛的教訓，因此如果我們愛孩子，現在就一定要改正他的不良態度。

本書是以讀者投書的方式，先描述出孩子的不當行為，然後像醫生一樣，開出處方，處方又分緊急處方和改造計畫，不過都像食譜一樣，列出詳細步驟使父母容易一步步照著做，這是本書最好的地方：每個孩子都不一樣，每個家庭也不一樣，因此沒有一個放諸四海皆準的處方。但是它把每一個步驟詳細列出來後，父母可以依照孩子的個性與自己家庭的情形，選用最適合自己的方式。因為每一個步驟後面都有說明理由，它不但像醫生一樣開藥，還告訴你藥的性質，有點像我們的中藥，知道問題後，每味抓一些去煎，每天依照病人今天的氣脈添減藥味。所以本書是一個診斷兼治療的父母手冊，裡面的處方可以讓父母依實際情況調整，而且每種不良行為型態後面都附有參考書目，使父母和子女可以各自進修，更深層了解問題的所在。在孩子已出現不當行為後，這本書可以說是一盞讓父母看到希望的明燈。

在醫學上，我們都知道預防勝於治療，中國人也說防患於未然。孩子在成長的時候最需要的是父母的陪伴，不是昂貴的進口玩具，也不是名牌的衣服與鞋子。孩子是上天的福賜，因為在教養孩子的過程中，我們再經歷了一次童年——那個因自己不成熟不懂事而未能好好享受或珍惜的童年。試想，如果不是陪伴孩子，你會去公園盪鞦千嗎？你會再享受盪鞦千的樂趣嗎？這個樂趣勾起你美好的回憶，為你的生活添上樂趣，同時，望著孩子一天天長大，這本身就是一個生命的活力泉源。所以國外的研究顯示，有孩子的婦女比沒有孩子的活得長，婚姻美滿的比不美滿的活得長。我們應該珍惜上天給我們的機會，好好帶大我們的孩子，使他成為國家的棟樑。但是如果先前有失誤，孩子態度有不當的話，也不用急，教育孩子永遠沒有太晚的時候，只看你肯不肯用心罷了。

最後，這本書雖然是寫給父母看的，但是我發現學校中的輔導老師可能覺得更好用。一個孩子的成長需要許多人的關心與愛護，只要肯用心，不放棄，沒有喚不回頭的孩子。（原載於《你那什麼態度啊?!》，推薦序）

4 只要不放棄，一定會成功

很多人都知道自閉症孩子跟正常孩子不一樣，但是沒有親身經歷無法了解個中辛酸；一個父母如果沒有看過《我兒惠尼》（*Maverick Mind*，中譯本張老師出版）這本書，就不會知道自己有一個正常的孩子是多麼的幸運，也不會了解一個自閉症的孩子要長大須花多少的心血。

《我兒惠尼》像本日記，將一個自閉症孩子的生長過程詳細記錄下來，開啟了我們的眼界，讓我們了解他們內在的世界。他們因為大腦神經迴路的結構跟我們不一樣，被自己鎖在一個密閉的空間中，與我們隔了一層厚厚的玻璃，我們很想 reach-in，卻不得其門而入。書中主人翁惠尼如果沒有一位鍥而不捨的好媽媽，努力打破這道牆，現在還關在自閉的世界裡，像繭中的蛹，掙脫不出來。對我們來說，自閉症最可憐的地方是我們知道繭中有個奇特的天才，卻打不破那道厚牆；而他們最可憐的地方是心中有很多話要說，卻有口難言。當別人無法猜透他們的意思時，他們常氣得大發脾氣，而別人只看到他們的無理取鬧，很少人能像作者一樣去了解「為什麼」：一個對我們來說很正常的刺激，對他們是不可忍受，常逼得他們發狂，用頭去撞牆。惠尼幸好有位好媽媽，有兩個好兄姐，肯忍受他打滾、咬人、摔東西及到處小便，在他們的通力合作下，把他從自閉症中引導出來，進入了正常班。

在這本書中，我深切體會到知識是力量，如果這位母親不是溝通障礙的專家，她也會像很多其他的父母一樣，把孩子送到教養院，埋沒掉一個天才。我在讀這本書時，除了替惠尼慶幸他生在充滿愛的家庭，也對作者的不屈不撓充滿敬佩：一個職業婦女帶著三個稚齡孩子，不但要在職場打出一片天，還得隨時應付惠尼突發的狀況，那種身心極度疲憊仍不放棄的精神，令人深感母愛的偉大。知識加上母愛造就了這個孩子，這也是我推薦這本書的原因，光有母愛不夠，還得知道該怎麼做才會成功。

台灣在特殊教育這方面的知識很不夠，非常需要從國外介紹新的研究成果、新的理論。最近洪葉出版了一本《心靈之眼》，可以跟本書搭配起來看，一是理論，一是實際，而《心靈之眼》的理論正是本書作者所實行的主張——這些孩子並不是笨，他們寫字、說話不行，但是心像一流，他們完全是用視覺影像在思考。

《心靈之眼》中列舉出非常多視覺思考但被老師列為智障的人：有被諾貝爾獎得

主費曼（Richard P. Feynman，他的傳記《別鬧了，費曼先生》〔*Surely You're Joking Mr. Feynman*，中譯本天下文化出版〕目前仍是暢銷科普書籍）稱讚為「從人類有文字歷史以來最重要發明之一」的馬克斯威爾（James Clerk Maxwell），他的電磁學通論到現在還有人在讀，但是馬克斯威爾是一位講話含混不清的口吃者；法拉第（Michael Faraday）的數學能力很差，加上記憶又不好，很早就輟學去書店當裝訂工，但是他的電解定律奠定了工業革命的基礎；另外有學習障礙的則是愛迪生（Thomas Edison）、愛因斯坦（Albert Einstein）、邱吉爾（Winston S. Churchill）等不需我特別介紹的偉人。因此，本書對家有自閉症者父母最大的鼓勵是假如你肯投資心力下去好好教，懂得怎麼教，你的孩子會有出頭的一天。不要自怨自艾，質疑上天「為什麼」，而是要像本書的作者一樣對自己孩子的資質有信心，勇往直前去啟發上帝放在你手中的一塊璞玉。

教育孩子本來就很辛苦，每個孩子都不一樣，沒有現成的法則可用。教育的目的應該是因材施教，假如今天的教育制度做不到這一點，做父母的就必須多花心思把孩子的長處帶出來。孩子一出生最早接觸的是父母，父母是最了解孩子的人，這個責任無法推卸到別人身上，正如本書作者所說的，在不斷嘗試、不斷努力，摸著石頭過河的五年後，她終於明瞭最能幫助孩子的是她自己，因為沒有人比她更了解自己孩子的需求，她把孩子當作第一優先，成功的帶領他走出自閉症。

這是一本激勵父母師長的好書，它讓我們看到只要不放棄，一定會成功。（原載於《我兒惠尼》，推薦）

5 要「獄」還是「癒」，全看自己

這是一個自殺的世代，每天翻開報紙都有人自殺：有小學生因貪玩被家人責罵而自殺，有中學生因課業壓力不堪負荷而自殺，有大學生因畢業後不知如何就業而自殺，假如這些孩子僥倖熬過青春期的磨難，出了社會成家立業，他們依然會因財務問題而自殺，為事業挫折而自殺，更多的是為感情問題而自殺；更糟的是，近年來甚至流行父母攜帶子女一起步上黃泉。

很多人都誤以為死亡是個解脫，不了解死亡是個逃避，自殺並沒有解決問題，它是對生者的懲罰。而在這些自殺的個案中，有很多是憂鬱症者，也就是說憂鬱症是自殺最主要的原因，但有許多人並不知道自己得了憂鬱症，也不知道自己周邊的親友得了憂鬱症，如果不知道有病，又如何會去求醫呢？因此，一本介紹憂鬱症症狀及治療（包括藥物及心理治療的成效）的書，對陷在漩渦中的人來說，就是一根救命索，靠著它，患者可以脫離苦海。而《我的孩子得了憂鬱症》（*Adolescent Depression*，中譯本心靈工坊出版）這本書，對輕重憂鬱症的症狀介紹很詳細，這是第一個可取的地方。

第二個可取的地方是它將治療憂鬱症藥物的藥效及副作用都陳述的很清楚，病人自己可以評估要不要服這種藥。台灣大部分的醫生不告訴（或是沒有時間告訴）病人吃的究竟是什麼藥，為什麼開這種藥，吃了又會有什麼副作用。我記得我父親因病住院時，一天要吃十二顆藥，我們只好去買《醫生案頭詞典》（*Physician's Desk References*）來查這些藥的成分和作用，因為父親吃了多年的中藥，我們很怕中西藥並用時會不會有不好的作用。有過那次的經驗，我對任何書肯把藥的作用及副作用列出來，讓病人家屬可以一目了然都覺得感激萬分。「選擇」是基本人權，過去病人沒有選擇，因為沒有疾病的知識；現在，資訊的發達使病人也可以有疾病的知識，所謂「久病成良醫」，再加上本書把治療憂鬱症的藥一一列出，病人可以依自己的體質，跟醫生討論調整藥物的各種可能性。任何藥物不論多新多好都不是仙丹，如果能找到適合自己體質又對病情控制有效的藥物，其實是件很幸運的事。當然，所有疾病都是預防勝於治療，所以本書的第二部分為治療，第三部分為找出病因，最後一部分為保持健康，讓讀者最後有個正向的希望，圓滿的闔上這本書。

這本書第三個可取的地方是它的學術性，雖然裡面也有許多案例，讓讀者從實際的個案描述中去了解憂鬱症，但是它比坊間各種憂鬱症的書更進一步的地方是它把學術研究帶了進來，不但知其然，並且知其所以然。作者將經常與青少年憂鬱症併發的一些相關症狀如注意力缺失或過動、酗酒和藥物濫用等，都包括進來一併解釋其大腦成因及與憂鬱症的關係，顯示了作者學識淵博及用心良苦。

自殘是情緒性疾病患者常見的現象，也是最讓老師和家長怵目驚心的動作，我曾見過一個廿四歲的甜美女孩，手腕上有和她年齡一樣多的割痕，雖然戴著佛珠手環，但仍蓋不住這些刀痕。現在越來越多的年輕孩子變成自殘的高危險群，連戴安娜王妃都曾自殘過，可見它的氾濫，這一章是國中輔導老師一定要看的。

最後，也是最重要的，治療憂鬱症或防止憂鬱症沒有別的法子，唯一就是告訴自己「向前看」。人生不可能樣樣如意，不然中國怎麼會有「人生不如意事，十之八九」這種話呢？不如意之事既然十之八九，表示挫折是免不了的，如果是免不了的，就不應該一直浸淫在失敗中，應該要將眼光放在成功的一二上面。過去佛洛依德的心理治療法是讓病人一直去回憶童年不愉快的創傷記憶，後來神經學上的研究發現，不斷的活化那些不愉快記憶的神經迴路，會使病人在一點點相關的刺激下立刻活化該迴路，帶來悲傷、痛苦的情緒，不但沒有治療病人，反而使病人的情況惡化。因此，現在知道不應該讓病人一直去回顧過去，而是要放眼未來，用正向的情緒神經連接去取代負向的情緒迴路。目前，加州大學洛杉磯校區的史瓦茲（Schwartz）醫生已經成功的用神經迴路取代方式治療了一位強迫症患者，如果這是一條可行之道，那麼憂鬱症患者就可以用認知治療法去拯救自己於絕望的深淵。

要不要向前看是自己可以決定的。我們應該讓所有的人知道壓力來自於自己，而非別人，當自己不願承擔這個壓力時，別人其實沒有辦法硬把壓力加在你身上，因此我們或許應該從小訓練孩子如何婉轉地拒絕非分的要求。父母應該在孩子很小的時候便教導他為自己的行為負責，凡是自己不能有主控權的事，就不應該去做。如果能切實做到這一點，壓力會立刻減少，煩惱也就消失。

卅六年前，我從台大法律系畢業時，我們的系主任韓忠謨先生送我們兩句話，告訴我們切實執行，一輩子就不會有煩惱——一是不作媒，二是不作保，因為這兩者都是自己沒有主控權的事。我切實遵守韓主任的囑咐，再加上父親平日的教誨：晚食以當肉，安步以當車，無罪以當貴，歸真返璞，終身不辱。如果把生活欲望壓低，無欲則剛，就不必為五斗米折腰，不必做自己不願做的事，心情自然愉快，就不會有憂鬱症。憂鬱症雖然是這個世紀的隱形殺手，卻非不可防範，只要了解病因，勇於求醫，便是抵抗殺手最好的方式，希望每個讀者都能從書中了解「造命者天，立命者我」的意義，坦蕩蕩的接受生命對自己的挑戰！（原載於《我的孩子得了憂鬱症》，推薦）

6 跳到忘我的舞

看完了《我是男生，我喜歡跳舞》（久周出版）這本書，我發現世界上是先有伯樂，後有千里馬。

書中愛跳舞的小男孩——揚，如果不是有一個思想開明、不怕別人說閒話、敢放手讓孩子去尋夢的媽媽，他可能現在還坐在補習班裡發呆。當然，這個小男孩也是獨特的，小小年紀就懂得自己要什麼，不要什麼，最難得的是他不世俗，學舞是因為他喜歡跳舞的感覺，並不在意名次，甚至可以說，他討厭得第一名，因為比賽把跳舞的樂趣破壞了，他寧可不得第一名，不要再上一層樓去參加省賽。

其實，學習本來是很有趣的，是我們大人發明的評量把學習的樂趣剝奪了，看了這本書，我們真該檢討，有必要每天小考、每個月段考嗎？為什麼其他國家的人沒有我們考得這麼勤，學習的效果反而比我們好？我兒子小的時候常跟我哀求，他要在

「太陽還在天上的時候」出來打籃球，但是在台灣做不到，因為放學時天就黑了，看不見，不能打了。為什麼人家小學上課時間比我們短（下午二點半就放出來玩了），學習成績也沒有比我們差？

有一部分答案在這本書中可以找到，我們只要看到他自己說：「有空就找地方練舞。」看到揚練舞才一年就被甄選上舞團出國去表演，就知道自動自發的學習效果跟又打又罵是不一樣的。揚不喜歡比賽是因為比賽前集訓時老師很兇，天天罵，跳舞變成緊張害怕的事，而老師罵是因為要比賽了，不罵怎行？棒子頭下出孝子，不是嗎？在意名次的是老師，反而不是學生。我有一個在國中教書的學生說他最恨班級比賽，每次比賽，每個老師都在罵學生，認為學生不贏就是丟他的面子，我們有沒有好好想一想，比賽究竟是為了誰？如果是為了老師，那就弄錯對象了；如果是為了學生，就不需要罵。研究已經發現，要改正孩子的短處最好的方法是放大他的長處，是誰說只有打罵才能把學生的潛能帶出來的？

這本書中談到許多迷思，只不過它不是長篇大論的談，而是透過揚的「為什麼」來讓你反思。為什麼男生跳舞大家要驚訝，要嘲笑？為什麼人們不能接受跟自己不一樣的人？為什麼要比賽？為什麼要爭第一？這些迷思是教育者在制定教育的目的時，最好的討論題目；教育本是打開胸襟，接納不同的人和事，提升自己的視野。這需要經驗的體驗，我們看到揚做了小老師以後感受到老師的辛勞和苦心，開始從另一個角度來看跳舞，所以教育首重體驗，而不能紙上談兵。

肢體韻律活動是個非常好的運動，那種融合音樂和肢體美的體驗，是每一個舞者不能忘情的原因，而我們台灣對美育太不重視了，因此而忘記了它是儀態和品味的來源。心理學上很早就知道肢體韻律是抒發心情最好的方式，譬如九二一地震後，雲門舞者去災區成功的用肢體韻律帶出了孩子受災後的心靈吶喊。看到書中描寫揚去參加比賽跳到忘我時，心中就知道他一定會拿第一，因為沒有什麼比跳到忘我的人更令人感動，那個充分享受跳舞的愉悅就是他致勝的原因，也是跳舞的極終目的。

本書輕鬆易讀，尤其是它的插圖極佳，畫龍點睛的把內容標出來。看完了這本書，使我忍不住說：可愛的揚，我祝福你有一個快樂的人生。你有勇氣去追尋夢想，也有個好媽媽做後盾，我知道你一定會成功。（原載於《我是男生，我喜歡跳舞》，序）

7 幸福是在自己的手中

心理分析最早流行於歐洲，後來才在美國發揚光大，它的主要人物從佛洛依德到容格（Carl Jung）都是歐洲人，而《幸福童年的祕密》（*Das Drama des begabten Kindes und die Suche nach dem wahren Selbst*，中譯本天下雜誌出版）這本書便是由德文翻譯過來的心理治療書籍，跟大部分美國的譯品味道不同，令人耳目一新。

現在因為腦造影技術的精進，加上人類基因體解碼，造成了精神醫學的革命。很多以前認為是個人心理不正常、意志力薄弱、人格有缺陷所造成的行為偏差，現在都發現有大腦上的關係，是一個生理上的毛病，所以現在的精神醫學前面都會冠上「生物」二字，變成「生物精神醫學」。這個革命最早從《美國精神醫學》期刊（*American Journal of Psychiatry*）的主編安得利亞生教授（Nancy C. Andreasen）於一九八五年所寫的《破碎的大腦》（*The Broken Brain*）開始，一直到她二〇〇一年《勇敢的新大腦》（*The

Brave New Brain）為止，這二十年間臨床醫學的發現確立了精神醫學的生物基礎，也使很多精神科醫生掙脫了心理分析的桎梏，從大腦的神經機制來探討病人的行為。

在《幸福童年的祕密》這本書中所討論的很多題目，都是近代神經科學研究的主題，例如母愛是否天性，書中便寫道：「現在終於應該有人說出來，世界上根本沒有母愛這回事，遑論母性本能。」在老鼠實驗上，神經科學家發現母愛或母性本能跟大腦催產素（oxytocin）有關，一隻從小受到母鼠舔舐的老鼠長大後，也會去舔舐她的小孩，成為一個好媽媽；但如果將催產素的基因剔除，這隻老鼠就會成為冷漠的母親。

書中對抑鬱也有很多著墨，作者說：「抑鬱真正的反向不是快樂和無痛苦，而是生命活力。」這句話非常對，一個有生命活力的人即使身體有病痛、沒有錢、不快樂，他也不會得憂鬱症。這個迷思我們經常可以看到，以為人一定要快樂才不會得憂鬱症，這是不對的，因為不快樂並不是憂鬱症的必要條件，生命無目標才是。我們常看到罹患癌症的人到醫院做義工，鼓勵其他的病人；自己都沒有房子住，在寒流來時，卻將錢捐出來買棉被給需要的人。台灣現在憂鬱症氾濫，且年齡降到十三歲，這跟我們整個社會向下沉淪，笑貧不笑娼，人們對自己的生命價值沒有正確的觀念，對生活的目標也沒有一個金錢以外更高一點的理想有關。

最近的研究發現，童年的不幸對還在童年期的孩子打擊當然最大，但是當他逐漸成長，遠離童年後，童年的不幸事件對他的影響會越來越少，到中年以後幾乎沒有關係了，這個研究在二〇〇三年科普作家瑞德利（Matt Ridley）的新書《天性與教養》中有詳細的介紹。從事心理諮商或兒童教育者，都應該去看一下書中所列舉最新大腦的證據。

我們現在已經知道，心理分析學派鼓勵病人去回憶童年，去挖掘童年的不幸，通常只會使病情更加嚴重，因為過去的已經過去了，喚不回來，已無法重新來過；人要向前看，重新找出生活的目標，從廢墟中站起來。當廢墟太大無法清理時，不妨拋棄它，去一個全新的地方從頭開始。對於那些童年受到不幸的孩子，我們的看法也是如此，要鼓勵他積極的找出人生的意義，而不要沉溺於過去。人的一生不可能一帆風順，童年就像父母、性別一樣，是我們無法主控的；而對於沒有主控權的事就不要反覆思考，應該讓它過去。現在的實驗已經發現，人格在受精的那一剎那就已經決定，後天雖有影響，但是後天不正是自己可以控制的嗎？前者自己無法控制，煩惱它也沒有用，後者正好落在自己手上，應該積極去創造一個適合自己個性的生存環境。英文有一句諺語非常的好：Life can only be understood backwards, but must be lived forwards!

對於無法改變的事實，我們要接受，以免自尋煩惱；對於可以改變的行為，我們要努力改變它，使自己變得更好。至於什麼是可以改，什麼是不可以改的，這就要靠我們的智慧了。《幸福童年的祕密》裡舉了非常多的例子，讓我們看到回頭看的人永遠看不見未來，一個勇敢的人是不回頭的，人生要有「埋骨何須桑梓地，人間到處有青山」的豁達與積極態度，它不但是童年幸福的祕密，也是一生幸福的祕密。（原載於《幸福童年的祕密》，推薦序）

8 是為孩子，還是面子？

只要住過加州，移民過美國，或曾經想移民美國的人都聽過維尼中學這個名字，它在亞裔圈中非常有名，等於是台灣的建中、北一女，家長擠破頭的想把他們的孩子送進去就讀。對於美國也有明星學校，相信很多人很好奇，而《明星高中 Live Show》（*School of Dreams*，中譯本天下遠見出版）這本書的作者，便實際到這個學校去駐校觀察，將校長、老師、學生、家長的心路歷程，毫不保留的寫出來供我們參考。

他山之石可以攻錯，在這本書裡，我們看見校長是一個學校的靈魂，當他有遠見，有擔當，有熱忱時，老師、學生、家長都會被他感動，學校就會欣欣向榮成為明星學校。所以要辦好一個學校，校長非常重要，只是這個道理雖然人人都懂，但是做起來並不容易，因為一種米養百樣人，每一個人的心思都不一樣，想法不同，做法自然不同，成敗也就不同了，這是這本書為什麼值得教育工作者細讀的原因。

一般來說，我們很少看到一本書如此詳細的從教育者、被教者、出錢者（父母，因為這是一所私立學校）三方面的觀點來共同討論一個主題——升學率。說升學率好像玷辱了崇高的教育理想，但是它是現實，私立學校要生存就必須要顧到升學率；不過一個有智慧的校長，就可以在理念和現實間求取一個讓他心安的平衡點。在這本書中，我們看到這位校長周旋於老師、家長、學生之間卻面面俱到，還要留一點時間給家庭生活，真是不容易，這也讓我感到一件事情的成敗，領袖很重要，他樂觀，全體工作人員都覺得有希望；他悲觀，大家也跟著覺得大勢已去，準備各散東西了。

「見賢思齊，見不賢而內自省」，看到一個校長的重要性後，我們應該深切反省一下目前台灣校長的遴選制度是否合宜；選舉是有代價的，我們只要看到台灣近年來內耗的嚴重，國力節節衰退就能了解了。尤其是以現在的社會亂象，好人不願出來選，孔子曰：「邦有道仕，邦無道，乘桴桴於海。」當越來越多的人選擇後者時，校長用遴選的便會產生問題。

有一次在新竹市，計程車司機指給我看辛志平校長的紀念公館，令我十分驚訝。以他的年歲，是不可能被辛校長教過的，因為辛校長的女兒是我的同學，我只要推想一下我父親的年齡便知道這是不可能的，但是他說話的語氣卻是異常的尊敬。我問他時，他承認生得太晚，沒有被辛校長教過，但是他的父親被辛校長教過，他說，一個令學生畢業四十年還想念的校長，他尊敬他。我那天聽得熱淚盈眶。一個校長做到這個地步，死也瞑目了。後來我想，為什麼辛校長以後就不再有辛校長了呢？一定也有人像他一樣，以校為家，待學生如自己的孩子，並且以身作則，處處做學生的榜樣。後來了解，這是制度之錯，因為校長任期太短，教化無法立竿見影形成氣候。教育既然是「潛移默化」的工作，就需要時間浸淫，但是目前的制度不但讓自己的理念來不及實現，後繼者還常常推翻前一任的措施，使學校做虛功，永遠在建立新的制度，讓師生無所適從。這是看完這本書最令我感慨的地方。形勢比人強，制度不改，有抱負的老師也只能徒呼負負！

這本書另一個可以引起讀者共鳴的地方在它摘錄了一些學生的作文，而從書中所引用文章的作者姓氏可以看出，該校大部分是亞裔學生，尤其是華裔，如洪、崔、沈等姓，這些生長在美國的ABC（American Born Chinese）照說是我們台灣孩子羨慕的對象，因為沒有聯考的壓力，但是從他們的作文中我們可以看到，這些父母望子成龍的心態並沒有改變，因此他們所感受到的壓力並不比我們低。我們看到他們也會在汽車上假裝睡覺，免得跟父母講話；他們對父母要求一定要進哈佛／耶魯／MIT等名校也會反抗（為什麼我不進哈佛／耶魯／MIT這輩子就完了？你為什麼會沒有臉去見你的親戚朋友？我有作姦犯科嗎？）；我們也看到他們被逼著上SAT補習班的無奈，他們的焦慮、抑鬱、沒有安全感和親子關係的緊張，跟我們這邊是不相上下的。看完了這本書以後，我終於了解，問題是出在我們父母身上，不是換地方就可以解決的，如果換地方可以解決，為何過了一個太平洋，到了彼岸，那些華裔孩子仍然如此不快樂？

很多人把壓力怪罪到環境上，因為環境的確會造成壓力，但是最大的壓力來源其實是自己的心態，如果自己有這個看法，環境沒有給你壓力，你也會去想像個壓力出來；但是假如自己心中不在意別人的看法時，環境是莫奈你何的，只可惜能做到這點的父母很少。當年我在美國教書時，常看到朋友忙得團團轉，成天接送他們的孩子去做義工，甚至有人叫孩子去非洲、中南美洲服務，因為這種資歷容易進醫學院、法學院。結果孩子申請上大學，就好像父母去打一場社會地位的肯定戰一樣，難怪他們會在作文中說：「我沒有自己的生活，每一分鐘他們都替我安排好了。」這些話聽起來這麼熟悉，這不就是我們台灣孩子所說的話嗎？所以我們看到了傳統文化如何深深根植在每一代的父母心中，飄洋過了海仍是一樣。

今天教改不成功，孩子越來越痛苦，不知有沒有人靜下來想一想，這些痛苦其實是我們大人為了自己的顏面所添加上去的負擔。「長江後浪推前浪，一代要比一代強。」這句話絕對沒錯，因為人類的演化就是每一代都比上一代強，「青出於藍」要「更勝於藍」。但是「強」的定義卻要因時代、因孩子的天性而有所不同。在封建制度之下，「強」當然是指科舉功名，就像王允對薛平貴說的「吾家三代將相，不招白丁」，就是繡球打中了，也不認帳。但是現在是科技整合的時代，每個領域都可以出頭天，不限熟讀經史子集。

你知道過去商人的地位有多低嗎？他們連穿的衣服都要受到限制，某些顏色和某些布料是不准用的，但現在任何領域只要混出名堂，都會受社會的尊敬，這點我們一定要提醒父母。讓孩子進入名校只是提供他一個較易成功的環境，如何利用這環境或要不要利用這環境，還是在孩子個人的意願，也就是說，假如我們不能激發起孩子求知向上的動機，名校或小校都沒有什麼差別。學習不像政治，政治是形勢比人強，時勢造英雄，但學習是動機創造環境，就像那句名言：「生命自己會找出路。」因此教育者的任務其實是啟蒙，引發動機，提供機會而已。當我們每一個人都認清自己的角色、權利和義務時，社會必然平和很多，人也會快樂很多。

現在的青少年不快樂有一個原因是如書中所說的：「不管我多努力我媽都不滿意，我在他們眼中永遠是個失敗者。」這種話是個警訊，是青少年死亡率中，自殺佔首位的原因，也是憂鬱症最大的成因。中國的父母讓孩子永遠覺得自己不夠好，這是不對的態度。因此請不要讓孩子覺得SAT、長春藤名校和成績，是人生唯一的大事，是生命的分水嶺，我們一定要讓孩子看到世界不會因為大學聯考而停下來，人生比這個重要的事不知有多少。今年夏天，我在湘西一所非常貧窮的中學看到他們的牆上刷著：

把忠心獻給國家
把愛心獻給社會
把關心獻給他人
把孝心獻給父母
把信心留給自己

好個把信心留給自己！有信心才會成功，我們為什麼教來教去，反把孩子的信心給教丟了呢？

《明星高中 Live Show》這本書厚厚幾百頁，看完最大的感覺是中學只是人生的一個階段，不必太計較，如何讓孩子有信心，敢去面對明天，才是成功的真諦。當你考上了大學，沒有人管你中學是念哪個學校；拿到了博士，沒有人管你大學是念哪個學校；人生是看終點，而不是看起跑點，請父母們把眼光放遠，看他三十年以後的成就吧！（原載於《明星高中 Live Show》，導讀）

9 嚮往著學校外的天空

《孩子為何失敗》（*How Children Fail*，中譯本張老師出版）是一位小學老師一九五八年的教學日誌，讀完了以後你會非常驚訝，整個校園文化、教學方式在這四十五年間竟然沒什麼改變。再細看本書作者與另外一位也教五年級的同事來往的書信時，我們就恍然大悟為何教改沒有效，因為我們改來改去，改了制度，改了方法，卻忘了改我們的心態！

書中說：「我們誤以為成績好與成績不好的差異在於思考的技巧，因此老師上課要教的就是技巧，其實這兩種學生心態完全不同，對成績不好的學生而言，學校是一個危險的地方，要趕快逃離，因此，學生來學校不是學習而是逃避。」這段話真是一針見血，我想教過書的人都有深切的體會。學生恐懼上學，教室像監牢，老師像獄卒，不停在挑毛病，學生戰戰兢兢生怕出錯被罰，整天惴惴不安，度日如年，就有個學生跟我說，犯人一天還有十五分鐘放風，做學生連這個都沒有，所以他上課常看外面，嚮往著外界的天空，恨不得插翅飛去。

為什麼只有功課好的孩子我們才愛？功課不好的孩子難道就一無是處了嗎？我常看到在學校挨打、罰跪、神情很畏縮的孩子，一出校門立刻脫胎換骨，會做風箏、修腳踏車，會做很多事，好像換了一個人似的。有一個孩子對我說：「老師，只要不叫我讀書，我什麼都會。」他也的確什麼都會，爬樹捉鳥，下水撈魚，連漏水的馬桶都會修！我們講多元智慧也講了十年，但是智育比較差的孩子還是成為被看不起的一群，我們很少像這本書寫的那樣，真心去探討老師所做的哪些是對學習有幫助的事，哪些反而會造成阻礙。我們過去一致認為教學活動都能促進學習，如果不能，那絕對是學生有問題，但這本書清楚的指出，很多時候問題在於我們沒有提供一個有意義、有興趣且安全的學習環境。

過去，很多人跟我說山地的孩子數學不行，而他們也的確怕數學，但是寒假時我們組了一個數學冬令營上山去教，居然讓孩子喜歡上數學課，四天的數學營沒有人缺席，也沒有人遲到。學生的成就感不是把水準降低，給他們出簡單的題目，這種方法完全沒有效果，因為學生知道你在放水，這反而會傷害孩子的自尊心。我們要教的是換一種思考型態，從他們平日生活的角度出發，當他們發現自己被挑戰，而且能克服挑戰時，自然會有信心，因為這是他的能力而非別人的憐憫。上學絕對不能讓孩子覺得恐懼，更不能是無時無刻不知什麼時候會失敗的恐懼，這是孩子為什麼會失敗的原因。

在書中，我們看到這個老師用尊敬孩子的方式使孩子就範，例如為了保持教室的安靜，他會在黑板上寫 Quiet，學生會在 t 寫完時全班寂靜下來，因為寫 Q 時，老師已經告訴學生他要做什麼了，他給孩子五個字母的緩衝時間，讓他們把話說完，然後全班安靜，這個緩衝就是對孩子的尊重。像這樣對人的尊重應該從小培養，有被人尊重才會自重，有自重才會自愛，這一點真是我們台灣教育最缺乏的一環，老師和父母一向都以權威壓制孩子，所以一旦孩子長大壓不住時，就無法管教了。而且權威高壓的方式容易產生孩子的叛逆行為，而叛逆其實是積壓已久的火山出口。書中這一段，我想很多父母和老師都應該好好看一下，因為即便是幼稚園的老師都知道，連很小的孩子都喜歡被人尊重而不喜歡被人命令。現在社會有很多暴戾的行為，基本上，這些人小時候都不曾被人尊重過，所以長大後也不會尊重別人。適度的尊重是文明的表現，若是我們能在生活上多尊重學生一點，罵人時顧到學生的顏面，或許現在青少年的憂鬱症就不會這麼嚴重。

最後，看完了這本書，我很為作者的一句話感動，他說：「人應該夢想抓不到的東西，不然要天空做什麼。」的確，人應該要有夢想，今天做不到的，明天或許做得到；我們做不到的，別人借著我們失敗的經驗或許就做到，最重要的是要有成功不必在我之心，有信心努力朝夢想前進。（原載於《孩子為何失敗》，推薦序）

10 活用大腦研究，提升教學效能

行為是意念的產物，一個行為的產生、改變和戒除，都與心有關——如果是心悅誠服，行為自然出現，如果是心不以為然，則陽奉陰違，不但事不成還會得到反效果，所以《孫子兵法》開宗明義便說「攻心為上」。

心理學家在教「學習」這一章時，也特別強調「動機」的重要性，但是以前對動機只能用行為的反應時間、頻率來測量，是間接的推論，現在因為有新進的腦造影技術，我們可以直接在大腦中看到意念的產生及因此導致的行為改變，對學習的定義開始有了不同的看法。同時，分子生物學的研究也發現生理狀態（如荷爾蒙、神經傳導物質的濃度）與學習成效有關，學習若能配合身體最佳狀態則事半功倍，因此，現在腦科學的知識廣泛應用到教學上，國外許多教育學程都安排了基本的大腦知識課程，他們認為老師必須知道學生的心智是怎麼發展的，所設計的教案才會有效；正所謂「知己知彼，百戰百勝」。

最近因為人類基因體的解碼，很多行為上的偏差已發現原來是基因的關係，而不是如過去以為的不聽話、偷懶、不做作業或故意把字寫出格子外等唱反調的行為。當老師了解孩子行為產生的原因是他不可控制的大腦因素，是一種疾病（如妥瑞氏症、強迫症、暴力症、失讀症、自閉症等等）後，老師會比較有包容心，也不會覺得教學很挫折，怎麼教孩子都不聽。因此，如何把大腦知識介紹到學校的教學上，是一件很重要的事，也是我一直努力的目標，所以我儘量翻譯新知，希望能普及這方面的知識。

但是因為寫大腦方面書籍的人多半是神經學家或認知科學家，他們不懂校園文化或教學需求，因此老師讀起來會有隔靴搔癢的感覺，不能正中下懷。現在，終於有一本由教育學者所寫，專門給老師們看的大腦書籍了。《動腦教與學》（*Brain Matters*，中譯本遠流出版）這本書的出版，對第一線工作的老師會有很大的幫助，因為作者簡單扼要的介紹了基本的大腦知識；這部分的程度相當於大學「導論」的課，讓老師在有了基礎以後可以繼續閱讀有關大腦方面的新知。第二部分則把大腦知識應用到教室中，舉的例子都很實際生動；這個部分讓有心於改進教育的認知心理學家知道如何去幫忙老師。所以本書可以說是一個橋樑，它讓教育第一線的老師了解大腦的機制，也讓基礎研究者了解實用者的需求，這是一個很好的開始。

書中有幾個章節我覺得寫的非常好，其一是記憶的本質。因為台灣過去一直陷在「背多分」的迷思中，現在電腦這麼發達，筆記型電腦已經縮小到一本書的大小，隨身攜帶很方便，而且就算沒有電腦，手機也可以登錄很多資訊，實在沒有必要再讓孩子去背東西。但是坊間記憶補習班林立，生意興隆，可見還是有很多父母把孩子送去增加記憶力，完全不了解時代在改變，廿一世紀的財富不在土地或勞力上，而在腦力，這個腦力不是死背的腦力，而是會組織和整理資訊、活用知識的腦力。因為人一天都是廿四小時，而大腦是個有限的資源，不可能樣樣精通，把時間用去背書就沒有時間思考了！這本書把「記憶是神經迴路的活化，看多了，熟悉了，迴路啟動的臨界點變低，記憶自然形成」的道理講得很清楚，讓父母和老師了解記憶強調思考或深層處理，多看多聽多想就可以加強記憶，不需要去補習。最主要的是它指出新資訊和舊有的知識體系掛上鉤後，新資訊就會變成原有體系的一部分，才成為自己的知識。這部分的知識對老師教學及父母輔導孩子都很有幫助，至少它提出證據反駁坊間補習班所宣揚的迷思。

另一個很好的論點是本書強調學習的本質在動機。因為只有主動的學習才能加深神經迴路的聯結，而神經迴路的聯結就是記憶的本質，這是為什麼一個東西了解後不必背也會記得，而不了解的東西雖然一時背住了，久了還是會忘記，徒勞無功。學習應該是一件快樂的事，因為我們祖先就是靠學習，而不去重蹈前人的覆轍，才能活下來成為我們的祖先。那麼為什麼現在的孩子活得這麼痛苦呢？我覺得有一個問題出在評量上，因為考試領導教學，聯考怎麼考，父母怎麼逼，孩子怎麼念。我們如果有勇氣反抗明星學校，只要孩子有學到知識，不去在意孩子的名次，學生會馬上快樂很多。另外就是教學要配合學生的需求，要能激發學生的動機，使他自己願意去學，學習才會有效果。《動腦教與學》這本書清楚地講出學習的神經機制，我想老師和父母一旦了解只有主動的學習神經才會聯結時，我們的教學方法和對學生的要求就會改變很多。

因材施教、快樂學習一直是教育的最高理想，其實細想起來並沒有這麼難做到，但是我們必須要改變原有的心態，不在意名次，不計較分數，更不一定要念明星學校，而把重心放在發掘孩子的長處、培養他的自信心、鼓勵他上進方面。你會發現當你的孩子快樂時，你才快樂，當你的孩子健康時，你才放心，而一個健康快樂有向學心的孩子，走到哪裡都會成功，因為教育的本質不過就是把孩子培育成一個有用的人才。在多元化的社會裡，有長處都會出頭。請父母老師們在了解學習的神經機制後，因材施教，因地制宜，給孩子一個高飛的機會。（原載於《動腦教與學》，專文推薦）

11 劃時代的實驗，不妥協的生平

民國五十七年三月底，徐州路台大法學院魚池旁的杜鵑正開得燦爛，我們法律系大三這一班坐在教室中上「普通心理學」的同學大部分心不在焉，心中想著外面的滿園春色。坐我旁邊的同學傳來一張字條：「有人說老師的一個眼睛是義眼，你覺得是哪一隻呢？」我想都沒想就順手把字條傳給下一個同學，因為我全部的心思都在想老師剛剛講的那個實驗：一隻從小跟母親隔離的小猴子，長大後一切行為都不正常，無法正常交配，即使實驗者用人工授精方式使牠懷孕，牠也無法成為一個好母親，牠會把自己親生的孩子虐待至死。童年的受虐經驗影響了這個動物的一生。

我在想如果猴子是這樣，那麼人呢？一個從小受虐的孩子長大後成為施虐者的機率，比一般正常人高29%，那麼法律該制裁的是他？還是他的父母？他該為自己的行為負責嗎？這個實驗讓我對「殺人者死」、「惡有惡報」的公平觀念，產生了極大的衝擊：如果他的「惡」是別人造成的，他該負責嗎？為什麼跟母親隔離長大就會產生這麼嚴重的結果？孤兒院中無父無母的孩子又怎麼樣呢？他們會有反社會行為嗎？我腦中充滿了問題，不敢問老師。

這時老師在黑板上寫下了哈利・哈洛（Harry Harlow）這個名字，說：「哈洛的實驗石破天驚，打碎了行為主義的完美假設，動搖了行為主義的根基，這個一九五六年的實驗像個炸彈，喚醒了人們的良知，開始正視心與腦跟行為的關係，大腦是個黑盒子的時代已經過去了……」台上這位新近從哥倫比亞大學回來的老師，興奮的講著哈洛的實驗對心理學造成的震撼，他卻沒有想到這個實驗其實對任何一個領域都造成了震撼，不但是法律界，還包括教育界、醫療界，凡是跟人有關的領域都被它影響到。我更沒有想到後來它還影響了我進入心理學界。

當時我已經進入加州大學心理學研究所就讀，但因為是從法律系轉過來的，有些基礎的課程需要補修，但是我沒有錢去補大學部的學分，所以在暑假中自己把這些教科書看了，開學時，硬著頭皮去找任課的教授，請他測試我，如果過了，請他准予免修。他聽完我的請求，沉吟一下說：「如果你說得清楚哈洛的實驗及其重要性，我就讓你過。」我的腦海裡立刻浮現出當年老師在法學院講堂口沫橫飛的情景，在我極力搜索、努力陳述一番之後，這門課就免修了。

老實說我當時很驚訝，為什麼心理學界中這麼多人，這位教授單挑哈洛的研究叫我講，更驚訝為什麼他認為我說得出哈洛研究的重要性，就代表我對這個領域最新的走向有所了解。在自己當了老師，也在這領域浸淫很久之後，就了解這位教授當時的確有慧眼獨到之處，因為過了五十年，哈洛的實驗仍然出現在最新版本的教科書中，一個經得起時代考驗浪淘沙之後仍存在的東西，才是真正有價值的東西。現在幾乎所有認知心理學的教科書都會把哈洛的實驗，列為遮住當時如日中天行為主義光芒的第一片烏雲，都承認他的實驗是認知心理學從行為主義的桎梏中解放出來的第一個重要實驗。

行為主義曾經在美國盛行五十年之久，它強調刺激和反應之間的聯結，完全忽略有機體兩耳之間的歷程。行為主義大師史金納（B. F. Skinner）曾說孩子哭時不可以抱他，必須等到他不哭時才可以抱，如果他一哭就抱，這是增強他哭的行為。這個荒謬的看法當時連醫生都贊同，告誡父母不可縱容孩子，那會鼓勵他哭；史金納甚至替他的女兒造了一個人類的「史金納箱」（Skinner box）讓她住在裡面。但是我們現在知道這個方法是不對的，嬰兒不會說話，哭是他表達需求、情緒的一種方法，教養孩子是要在安全感中培養他的紀律，是因為愛他才糾正他，而不是不滿意他才懲罰他。行為主義的教養法會使孩子認為我必須怎麼做（如考一百分）父母才會愛我，臉上才會有笑容，才會對我施以關愛的眼神。行為主義首講制約（conditioning），在它的教條下，父母對孩子的愛是「有條件的愛」（conditioned love），這是我最不能忍受的。在我念研究所時，行為主義仍然盛行，系中仍有很多教授在做老鼠和鴿子的實驗，但是認知心理學已經抬頭，我們雖然還是得必修行為主義的「學習」（learning），但是彈性已放大，可以選擇去研究「黑盒子」裡的學習，而不再拘泥於黑盒子外的變項了。

我真正了解哈洛研究的重要性是回到台灣來教書，開始走出象牙塔去大學之外的地方演講後，才發現那些童年被寄養在外婆家和親戚家的孩子，長大後心中總是有一絲惆悵，跟自己的父母不像其他的兄弟姐妹那麼親，如果一直換寄養家庭的話就更糟。我慢慢了解「有奶就是娘」這句話是不對的，孩子要的是安全感、是愛，而不是山珍海味或最新的機器人玩具。正如哈洛說的，每個孩子要的是「情感的堅固基礎」，一個不因條件而改變的愛。我們會對親人或好朋友的背叛感到特別痛心，因為他們的背叛動搖了「情感的堅固基礎」；當一個我們以為不會變的東西變動了，我們會覺得不知所措。就像地震為何特別令人驚慌，是因為在人的心目中，「地」應該是個堅硬不會變動的東西（所以有「頂天立地」、「地老天荒」的說法），一旦一個心目中不會動的東西發生動搖時，它帶給我們心理的震撼就遠大於其他的預期。

哈洛實驗的重要性在行為主義退位後，慢慢在教育界發生影響。發展心理學家開始檢視過去「有奶便是娘」這句話的理論證據：一個嬰兒吃飽了，喝足了，他還要求什麼?犯罪心理學家開始注意童年時的不安全感對反社會行為的影響。我們看到了哈洛實驗的影響力在一九五六年這篇論文發表後的五十年間持續在發生，我認為當一個人的影響力是這麼持久時，這個人的傳記當然值得一讀，所以我推薦了《愛在暴力公園》（*Love at Goon Park*，中譯本遠流出版）這本書中譯本的出版。

一開始我想自己來翻譯這本書，因為我實在很喜歡哈洛這個人，尤其是書中描寫威斯康辛大學的校長來找他時，他正打著赤膊跟研究生在屋頂上釘木板，鋪油氈，蓋養猴子的動物實驗室。在美國，我所看到的大教授都是捲起袖子自己動手做，「想要有就得自己做」的身體力行精神是很讓我感動的。我喜歡哈洛的另一個理由是他會寫打油詩，又快又好。他其實是一個害羞、寂寞、孤獨的科學家，像大多數的科學家一樣，假如你整日埋首實驗室，你不太有時間去喝下午茶、應酬和交朋友。但他也是一個感情豐富的人，他用詩來抒發他的內心世界。最主要是我認為他有風骨，認為不對的事敢站出來講，這個讀書人的風骨在台灣已經看不到了。

雖然我很喜歡這本書，但在衡量自己的工作和時間分配後，只得忍痛交給鄭谷苑教授翻譯，因為谷苑家學淵源，父親是鄭清文，從小就舞文弄墨，文詞表達能力很好，她跟我共事十幾年，行事風格令人欣賞，所以把這本好書交到她手上我很放心。

她果然不負眾望，將這本書譯得妥妥當當的交出來，我很欣慰的不但是這本書譯得很好，最主要是我找到了接班人，以後介紹國外新著進入台灣的工作就可以交棒了。

讀一個人的傳記不只是讀當時事情發生的經過，最主要還是學習他的精神，去了解為什麼這個人會成功，是什麼樣的人格特質使他可以在心理學史上留名。研究是一條寂寞、漫長而且辛苦的路，不是每個人都可以走的，但是走上這條路的人，對人類的貢獻也是沒有人可以相比的。（原載於《愛在暴力公園》，導讀）

12 你留了什麼給孩子？

去外國開會時，在飛機上看了一本名叫《給德藍的祝福》（*Lessons for Dylan*，中譯本希代出版）的書，大意是說美國廣播公司「早安美國」這個全國性節目的影評人在結了三次婚後，終於盼到了一個兒子，但是在聽到太太懷孕消息的同時，也聽到醫生的判決——大腸癌第三期。在知道自己可能無法陪伴孩子長大後，他決定回家寫一本書，把他要跟孩子講的話化成文字記錄下來，而這本書就是他給孩子的祝福。

剛開始讀起來有點慘然，但是看下去就會發現這個父親一點都沒有自怨自艾，他並不想賺你的眼淚，可是看的時候你會一直希望這個惡夢不要成真。他告訴孩子家族的起源，他自己成長的故事……正看到這裡時，飛機一陣顛晃，急速下降，杯中的咖啡都灑了出來，空中小姐也立刻蹲下，停止分送餐點，大家嚇得臉色發白，有的禱告，有的念佛號。幸好只是亂流，過了幾分鐘飛機又平穩了。在那幾分鐘時間，我想，天有不測風雲，人有旦夕禍福，每一個人都應該把他想跟孩子說的話寫下來，作為孩子的座右銘，不然人走了，聲音和影像都消失了，而父母親給孩子的教誨是自己一生經驗的精華，是金不換，如果來不及說就走了，實在太可惜。

我想我父親臨終時很想說話，但插滿了管子，不能說；想讓他寫，手又無力氣，畫出來的字無法分辨。幸好，早年留學時，父親每週都有跟我們寫信，這些「父字」的家書就成了我們最珍貴的財產，信中教我們隻身在海外如何跟同學相處，如何趨吉避凶等。我很遺憾父親並沒有告訴我們家族的起源，只知道祖父年輕時去南洋打天下，聚集了財富，父親十二歲被送回福建廈門念集美中學。而《給德藍的祝福》的作者很詳細的交代了猶太人生活的規矩和禮儀，頗有數典不可忘祖的味道，使我想起孔子說的「不知生，焉知死」。先要知道自己祖先是怎麼來的，才會知道自己以後該怎麼走才不會玷辱先人，生命才不會無根。失憶症的病人最可憐是因為他大腦受傷後沒有了記憶，過去是一片空白，只活在當下，一個沒有歷史的人，是無法計畫明天的。

這本書的作者說他最遺憾的是不能陪孩子去看第一場棒球賽，他認為父子一同去看球賽是親子關係最重要的一個回憶，孩子的第一頂棒球帽，第一隻棒球手套，第一支全壘打……。在美國文化中，棒球是孩子成長過程中不可缺的一環，每個週末公園中都有少棒比賽，那是全家的大事。我在想，我們親子最重要的一個回憶是什麼？少棒在台灣已經不流行，因為沒有場地，放學天也黑了，不能練習。那麼我們台灣父子都做些什麼呢？我隨便問了一下周遭的朋友，想不到都是一臉茫然。親子好像不曾做過什麼有意義的活動，一個爸爸說，「我跟孩子最常相處的時間就是在汽車上，我送他去補習，塞車。」雖說是笑話，卻很心酸。

親愛的父親們，請放下你手邊的工作，想一想，假如你不幸先走了，有什麼是你想留給孩子的？你的一生有累積一些有趣而可以值得炫耀的事傳給子孫嗎？還是「等因奉此」虛度了一生？假如你寫不出來，你的人生就不夠充實，請帶你的孩子去孤兒院、老人院做義工，請努力把正確的價值觀、人生觀傳給你的孩子，最重要的是像這位父親一樣，不但給了孩子生命，也給了孩子生命的價值，使孩子永遠可以抬頭挺胸的說：「我父親是某某某，他是一個好人！」

國家圖書館出版品預行編目資料

講理就好. 4, 理應外合：讓孩子在開放尊重的
生活文化中學習／洪蘭著. -- 二版. -- 臺
北市：遠流, 2006 [民95]
面；　公分. --（大眾心理學叢書；404
洪蘭作品集；4）

ISBN 978-957-32-5887-2（平裝）

1. 論叢與雜著

078　　　　95016707

【洪蘭作品集】

洪蘭教授善於從認知心理學的觀點，觀察社會上發生的形形色色事情。因為在民智已開的現代社會，光是「知其所以」是不夠的，必須「知其所以然」才行，所以她透過諸多不同的方式打動人們的心，改變人們的觀念，獲得人們的認同。改革最主要是改「心」，「心」不改，只改制度時，再好的美意，也不會有好結果。雖然「心」的改變是緩慢的，但是只要秉持著一鏟一鏟挖壕溝的努力，有朝一日，終將水到渠成。

A3401《講理就好》

A3402《打開科學書》

A3403《知書達理》

A3405《良書亦友》

【曾志朗作品集】

曾志朗教授擅長藉由生活情境中的事物，從人類文明發展史的觀點切入，提出獨特的科學觀點，豐富科學的意義；風趣、機智、富含創意的筆鋒，以及字裡行間流露對科學的熱情，令讀者感同身受。他努力傳達的是：科學本是很人文，可以很動人，應該很美麗，必須很浪漫。

科學人要以科學人的態度、方法來檢驗自身，因為科學是不許模糊的。但科學的發現和對真相的探索，卻是人人皆可為，只要有好的科學觀點、思維訓練和持之以恆的毅力尋找證據，人人都可成為科學人！

F1A01《用心動腦話科學》

★台北市93年度兒童深耕閱讀計劃推薦讀物
★第三屆青少年讀書感想寫作比賽指定讀物

F1A02《人人都是科學人》

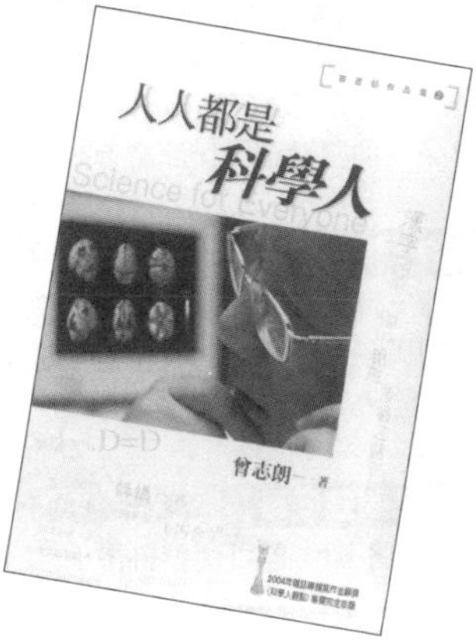

★94年度兒童深耕閱讀教育網評選好書
★2004年雜誌專欄寫作金鼎獎完全收錄